新潮文庫

酔いどれ次郎八

山本周五郎著

新潮社版

4494

目次

酔いどれ次郎八

彦四郎実記

一

「どうかお許し下さいまし」

堤の上で悲鳴が起った。

「たった一人の娘でございます、どうぞお見逃し下さい、もし、お慈悲でございます」

「うるさい、放せ！」

甲高く喚《わめ》くのが聞える。

堤の下に、――釣糸《つりいと》を垂れていた二人の武士、大髭《おおひげ》をたてた方の余吾甚左衛門《よごじんざえもん》がその騒ぎを聞きつけて振返った。

「なんだ騒々しい」

と呟《つぶや》く、――つづいてひい！　という悲鳴。

「おのれ斬《き》り捨てるぞ」

と叫ぶのを聞いて、甚左は釣竿《つりざお》をおく、――そのまま小走りに堤を駈《か》け上った。

残った方の若侍は身動きもしない。彼は但馬《たじま》豊岡藩、杉原石見守《いわみのかみ》長房の側近の士で、監物《けんもつ》彦四郎という男だ。――みたところ色白で眉《まゆ》の濃い、眼《め》の涼しい唇《くちびる》の朱《あか》い、まるで錦絵《にしきえ》からぬけ出たような美男だが、実は恐しく豪力で腕がたつ、いつもはぶすっと黙りかえっているが、いちど怒ると美しい顔でにやりと笑う、その微笑の妖《あや》しい凄《すご》さをみてふるえあがらぬような者は、伯耆《ほうき》、但馬、丹後かけて土地の人間ではないといわれるくらいだ。

堤を甚左衛門が戻《もど》ってきて、

「駄目《だめ》だ」

と口惜しそうに云《い》った。

「またお館《やかた》御乱行だ、鬼鞍《おにくら》伝八、柳太平、布目《ぬのめ》大蔵どもが、可哀《かわい》そうに娘一人を手籠《てごめ》にして掠《さら》って行きおる」

「…………」

「彦四、聞いているのか」

「う？――うん」

彦四郎は黙って竿をあげ、くるくると糸を巻付けると魚籠《びく》の水を切って立ち上った。

「おい、どうした？」

「……帰る」

「帰るなら一緒に行く、まあ待てよ」

「後から来い」

云い残して堤をあがった。

道へ出て少し行くと、一人の老人が狂気のように身《み》悶《もだ》えしながら泣き喚いている、彦四郎はつかつかと寄って、

「老人、城下の者か」

「おお、お武家様!」

商人態《てい》の老人は埃《ほこり》まみれの顔をあげ、彦四郎の袴《はかま》の裾《すそ》へ縋《すが》りついた。

「はい、わたくしはお城下で海産物を商いまする播磨屋《はりまや》宇兵衛と申します。娘と二人篠崎権現《ごんげん》へ参詣《さんけい》の戻り、あの畷道《なわてみち》まで来ますと、いきなり須野のお館様が出て、無理無態に娘お雪を、――あれ、あすこへあのように」

道を彼方《かなた》へ、遠ざかって行く四人の人影、間に挟《はさ》まれて嬌《なま》めかしい衣裳《いしょう》の紅が、身もだえしつつ曳《ひ》かれて行く。

「よし、娘は取戻してやるぞ」

彦四郎はそう云って足を早めた。

お館と呼ばれるのは誰《だれ》か?――彼は石見守長房の弟で主計介《かずえのすけ》という青年である。そ

の年二十七歳、強情我慢の烈《はげ》しい気質で、身丈六尺に近く力量武芸ともに優れていた。

当時五万石足らずの高取《たかとり》大名の弟となると、うまい養子口でもない限り、実にうだつのあがらぬ身上であった。主計介も二十三の年に須野へ館を造って、兄から七百俵の手当を貰《もら》い、二十人の附人《つきびと》と共に移ったが、――一生涯《しょうがい》兄から捨扶持《すてぶち》を貰って飼い殺し同様の身上を思うと、骨っぽい性質だけに段々耐えられなくなって来た。

（ええ気に入らぬ！）

と思う忿懣《ふんまん》がつのるにしたがって、いつか素行が荒々しくなり、それをおだてる側近の者もあるところから、この頃《ごろ》では眼に余る乱行、――些細《ささい》な事で領民を手討ちにし、城下の娘を掠《かす》めたり、家来を斬ったりという有様。兄の石見守も殆《ほと》ど手に余したかたちである。

「暫《しばら》く……」

追いついた彦四郎、

「暫くお待ち下さい」

「なんだ」

主計介が振返ると彦四郎だから、

「彦四ではないか、何だ」

「恐れながら、その娘をお放し願います」

「控えろ監物！」

鬼鞍伝八が喚いた。

「お館様に対し、御挨拶《ごあいさつ》も申上げず何を云うか、貴様などの出る幕ではない、退《さが》りおれ」

「いや待て、待て伝八」

主計介が制した。

二

「彦四、――」

と冷やかに、

「この娘は予が気に入ったゆえ邸《やしき》へ伴《つ》れ参って側女《そばめ》にしようと思うが、ならぬと申すか」

「はい、お放しを願います」

「何故だ、予が領内の者を予が自由にするは当然、――それとも何かならぬ訳でもあるか、あるなら聞こう」

「は、実は……」

彦四郎はちょっと口ごもったが、

「実はその娘、手前の許婚《いいなずけ》にございます」

「なに――そちの許婚？」

意外な一言。

主計介もさすがに驚いた、と見て鬼鞍伝八、どう勘違いをしたか、いきなり拳《こぶし》をあげて、

「無礼者――ッ」

叫びざま殴りかかった。

とっさに体をかわした彦四郎、のめる伝八の利腕《ききうで》を取ってぐいと引き落す、とみる刹那《せつな》、後から組付いた柳太平をそのまま、いま娘を抱えて逃げようとする布目大蔵の背筋へ、釣竿の柄《え》をかえして烈しい突《つき》を入れた。

「――むう！」

呻《うめ》いて、だだ！　大蔵がのめると同時に、体を捻《ひね》って深く組付いている太平の脾腹《ひばら》へばっ！　と烈しく肘《ひじ》でひと突き、

「ぐう」

と太平の腕が解ける。

「彦四、狼藉《ろうぜき》するか！」

主計介が怒声をあげた時は、伝八と大蔵、太平の三人は道の上に這《は》い、——彦四郎は娘を背に庇《かば》って静かに、

「お手向いは致しませぬ」

と小腰をかがめていた。

「どうぞこの娘、お見逃しを願います」

呼吸も変えぬ身構えだ。

自分が出来るだけに、主計介には彦四郎の早業が気に入った。噂《うわさ》には聞いたが良い腕である——と思うと、それ以上に日頃の無法もできぬ気持になった。

「うむ、そうまで申すなら放してやらぬこともないが、そちの許婚であると申すは真《まこと》であろうな？」

「はい」

「そうか……面白《おもしろ》い」

主計介はにやりと笑って、

「よし、予の面前で臆《おく》せぬ振舞いが気に入った、二人の婚姻には予が仲人《なこうど》してとらせ

よう。日取の儀も改めて申し遣わすぞ」

「…………」

「今日は許す、娘を伴れて行くがよい」

そう云うと、主計介は渋い顔をしている三人の者を促してその場を去って行った。

――少し離れたところからこの様子を見ていた播磨屋宇兵衛は、気もそぞろに走り寄って、

「おお、お雪」

と娘を抱きしめた。

「よかった、よかったのう、どうなることかと生きた心地もせなんだが、お蔭《かげ》で危いところを助かった」

「父《とと》さま」

「さ、お礼を申せ、有難《ありがと》う存じましたお武家様、お蔭で娘が命拾い、何とお礼を申しましょうやら、――この通りでござります」

「いや、礼には及ばぬが――老人」

彦四郎は宇兵衛を遮《さえぎ》って、

「娘御には、婚約の人がござるか」

「えー？」

お雪はぽっと頰《ほお》を染め、ながし眼に彦四郎の横顔を見ながら、嬌めかしく袂《たもと》で面を包んだ、——彦四郎は云いにくそうに、

「実はとっさの方便に、お雪どのを拙者の許婚と云ってしまったのだ、勿論《もちろん》——当座の云いのがれに申したのだが、お館に言質《げんち》をとられ、仲人をしようと仰《おお》せられた」

「はあ……」

「何とか法を考えるつもりだが、お館としてはおそらく意地ずくの仰せと思われる、もし既に他へ約束でもあるとすれば」

「はい、実は……」

「あれ父さま、めったなことを」

お雪は慌《あわ》てて父を押止《おしとど》める、宇兵衛はごくりと言葉をのんだ。

「とにかく」

と彦四郎は静かに、

「改めてまた相談をしようが、そこ許《もと》にも思案を頼むぞ」

「は、はい、それはもう」

「ではこれで——」

と云うと、彦四郎は足早に元の道を戻って行った。その後姿へ、――お雪の熱い眸子《ひとみ》がいつまでも強く絡《から》みついていたのである。

「やったのう彦四」

余吾甚左衛門は、近寄ってくる彦四郎を待ちかねたように叫ぶ、喜色満面だ。

「久しぶりで小気味のよいところを見た、伝八めが犬のように這いおった態よ、わっはははははは、胸がすーっとしたぞ」

「甚左……」

彦四郎は低い声で、

「困った事が出来た」

「なに、困った事とは？」

「その、あれだ……その……」

珍しや、彦四郎がぽっと頬を染める、――甚左衛門は呆《あき》れて眼をみはった。

「あの、それ……いや、家へ行って話そう、貴公に頼みもあるのだ」

三

それから三日めのこと。

「行って来たぞ」

と喚くように云いながら、庭先から甚左衛門があがった、彦四郎はにこりともせず、

「御苦労」

「いや、たいした娘だなあ」

むずと坐《すわ》って、

「あれは播磨屋小町といって城下でも三本の指に折られる美人だ、町人の娘ながら漢書も読むし歌も作るそうだ」

「…………」

「当座の云いのがれに許婚だと云ったそうだが、おい彦四、これは少しばかり怪しいぞ」

大髭を捻りながらわっはっはと笑う、しかし彦四郎は眉も動かさなかった。

「それは冗談だが、とにかくあの娘なら二百七十石監物彦四郎の妻として恥かしからぬ資格充分だ、ところで——問題がある」

「——？」

「よいか、よく聞けよ」

彦四郎は黙って頷《うなず》いた。

「城崎《きのさき》の船問屋で島屋重兵衛という者がいる、その二男で八太郎という奴《やつ》が、あの娘を見染めて嫁にくれと申込んだのだそうな、ところがその八太郎というのが大変な男で、身丈は六尺五寸に余り三十人力という熊《くま》のような荒くれ者――、おまけに好きで幼い頃から船へ乗って育ったから恐ろしく気が荒い、これまでにも再三喧嘩《けんか》から殺傷沙汰《ざた》に及んだことがあるという奴だ」

こんな男に大事な娘をやれる訳がない。

きっぱりと断ったのだが、なにしろ相手はすっかり娘の色香に打込んでいるので、是が非でも嫁にすると云ってきかない、――この頃ではまるで狂犬のように、

「播磨屋の娘は己《おら》のものだ、あの娘に手を出す奴があれば生かしてはおかぬ！」

など、喚きちらし、娘の出入りに附きまとって離れず、うっかりすればどんな乱暴もしかねまじい有様である。

「そういう訳だ」

甚左衛門は膝《ひざ》をすすめて、

「そこで、のう彦四、――どうだ貴公も乗りかかった舟だ、事のついでにもう一度あの娘を八太郎とかいう熊男の手から救ってやる気はないか」

「…………」

「そうすれば一石二鳥、お館への誓言もたつし、播磨屋小町といわれるほどの美人を妻にすることが」

「八太郎、——島屋八太郎」

彦四郎は甚左衛門の言葉を遮って低く呟いたが、やがて顔をあげた。

「甚左、お館は知っているぞ」

「何を、——？」

「島屋八太郎という男、強力が自慢で御前へ召される奴だ、今度の話が須野家中の噂に出れば、当然あの男の耳に入る、今頃はあの熊男め、彦四郎などぶった切ってしまうなどと、……唾《つば》を飛ばして喚きたてているに違いない」

「彦四、冗談じゃないぞ」

「冗談ではないさ、——だが、そう事が分れば覚悟は決った」

「どう決ったのだ」

「あの娘は……、監物彦四郎の妻だ！」

きっぱりと云いきった時、足早にやって来た家僕《かぼく》の忠平が、

「申上げます」

と云った、

「須野よりお使者にございます」

「来たな」

彦四郎はにやり微笑して、

「よい、客間へお通し申せ」

「はい」

忠平が去る。甚左衛門が気遣わしげに、

「大丈夫か……」

「云うまでもない、拙者の心がきまった以上、事は早い方がよいのだ。待っていてくれ」

彦四郎はすっと立った。甚左衛門は、すっかり圧倒されたかたちでやたらに大髭を捻りあげている、――と間もなく彦四郎が戻って来た。

「どうした?」

「明日、夕刻六つ（午後六時）と定《きま》った」

「で……行くのか」

「行くとも、仲人をすると云われたお館の言葉に偽りはあるまい、――そこで甚左、貴公にもう一度頼みがある」

「うん」

「明朝播磨屋へ行ってな……」

と彦四郎は座へついた。

四

その翌日、夕方六つ刻《どき》少し過ぎて——。

須野の館へ彦四郎が、美々しく装ったお雪を伴れて現われた。館では待ちかねていたとみえて、すぐに、

「こちらへ——」

と案内する。

「ではお雪どの、御前へ——」

「はい」

縋《すが》りつくような眼で男を見つめながら、お雪はつつましく彦四郎に寄り添った。

長廊下伝いに数寄屋《すきや》へ通ると、——座は既に酒宴たけなわの様子で、上座に主計介、左右に十五六名の家来が居並んで盃《さかずき》をあげていた。

場なれぬお雪は、ものものしい部屋の有様を見ると身の顫《ふる》えを感じながら、思わず

ひたと彦四郎の蔭へひき添うようにして平伏した。――近侍の披露《ひろう》するのを聞いて主計介は、

「ほう、来おったな果報者め」

とじろり見て、

「進め、――その方どもの祝宴じゃ、許す、ずっと進め」

「は、御免！」

彦四郎は臆する色もなく、お雪を促して膝行《しっこう》した。――二人の席には用意の島台、組盃《くみさかずき》、長柄《ながえ》の銚子《ちょうし》が並べてある、――ところが島台というのは平三方《ひらさんぼう》に白木綿の丸い包物が一つ載っているだけで、ちょっと見ると首台のように見えるのだ。

「や、美しい美しい、杉原家随一の美男と城下三美人の一人が、そう並んだところはまるで夫婦雛《めおとびな》のようじゃ、――彦四、嬉《うれ》しかろうな」

「は」

彦四郎は面《おもて》をあげて、

「我等《われら》両名が夫婦雛となりまするも、ひとえにお館様のお力によりますること、この上は……」

「待て待て」

主計介は強く遮った。

「如何《いか》にも約束なれば仲人の役はしてとらせる、だがのう彦四、——改めてきくが、そちどもが許婚《いいなずけ》の間柄《あいだがら》であるというのは真《まこと》であろうな」

「御意《ぎょい》にござります」

「しかと！　偽りはあるまいな、どうだ娘？」

「……は、はい」

「これは不思議じゃ」

主計介はにやりと笑った。

「両人口を揃《そろ》えて許婚だと申す……ところがのう彦四、ここにもう一人、その娘の許婚だという男がいるのだ。金弥——あの者を連れて参れ」

「は」

小姓が小走りに去る。

間もなく、案内されて異形な人物がのっしのっしと現われた。——身丈六尺五寸あまり、岩のような肩、節くれだった手足、潮焼けの色黒々と眼怒《まなこいか》り、はだかった胸に熊のような毛がのぞいている巨漢だ。

「おお、われお雪でねえか」

男は入ってくるなり喚《わめ》いた、——声に振返ったお雪は、八太郎！　と見るなりさっと顔色を変える。

「これさお雪、何をそう驚くだね、八太郎様を見忘れただか、そんな恐しげな顔をせずとこっちさ向くがええ」

寄ろうとするのを、

「八太郎待て」

と主計介が制した。

「彦四、——この男のまえで今一度、許婚であると申してみい」

「重ね重ねの仰せ、如何にもお答え申上げまする。播磨屋娘お雪と手前、正に許婚の仲に相違ございりませぬ」

「な、な、なんだと——」

八太郎は眼をむきだした。

「お雪と許婚だあ？　何をいうだ、播磨屋の娘はこのおれさまが見込んだ女だ、指一本でもさわってみろ、八太郎様に蚤《のみ》のように捻《ひね》りつぶされると、城下の噂話にも聞いていべえ。それとも噂を知らずにしゃしゃり出たか、そんだら温和《おとな》しく謝り申して足許の明るいうちに帰らっしゃれ、おらあ……」

「うるさいな熊男」

彦四郎が静かに押えた。

「なに熊男だと……？」

「熊男で悪ければ豚の化物か、鍋《なべ》の尻《しり》へ眼鼻を描いたような面でたわごとを申すな、退《さが》っておれ化物」

「ば、ば、化物……？」

野人だからこらえがない、かっとなる。いきなり岩のような拳《こぶし》をあげて彦四郎の横面へ、

「ぬかしたな！」

ばっと殴りかかった、刹那《せつな》！

「ええ騒ぐな」

軽くかわして、流れる拳をぐっと摑《つか》む、三十人力という鬼のような腕を、ぐぐぐぐ！　逆に取ってねじ上げた。

「む――っ！」

満面赤黒くなってこらえようとしたが、柔術の法で筋を詰められているからたまらない、みるみる額に膏汗《あぶらあせ》がにじみ出して来た、――駄目《だめ》だ、とみた八太郎、突如、足

をあげて蹴《け》る。

「そら！」

と彦四郎、体を捻って、逆にとった腕をうん！　とばかりつき放した。

「わわわ！」

腰が崩れてだだだ、八太郎がのけざまに座をゆるがして倒れる、彦四郎は躍りかかってぐっと上から押えこんだ。

五

「うん！」

はね起きようとする奴を、のしかかって片膝を水落《みずおち》へ当て、左手を喉輪《のどわ》に当ててぐいと絞める。

「八太郎とか申したな」

静かに微笑しながら云った。

「ふふふ、あっぱれな奴だ、播磨屋小町ともいわれる娘を、かかる晴の席においてたとえ一言にもせよ己《おの》が女と申した以上、貴様の男は立派に立ったぞ、――なに苦しい？　弱いことを云うな、返答のしようによってはもうちっと苦しくなる」

「——も、もう、いい」

「よくはない。今度は拙者の男を立てる番だ、さあはっきり申せ、拙者とお雪どのとの婚礼に苦情があるか、どうだ」

「——ぐう」

もうひと絞め！　と思った時、

「彦四、そのまま」

と主計介が声をかけた。

「金弥、彦四郎と娘に固めの盃してとらしょう」

「はは！」

小姓は言下に立った。

うーむ、八太郎が金剛力《こんごうりき》にはね返そうとするのを、彦四郎ぐっと押えてお雪の方へ振返った。——金弥は組盃と銚子を直して、

「お館様よりお許しの御盃、いざ」

と云われて、お雪がふるえながら盃を取る、心も空に飲んで返すを、小姓は膝を変えて彦四郎にさした、……熊のような荒男を組敷いたままの盃、毛ほどの隙《すき》もあれば三十人力がものをいう、——ここだ！　と八太郎が必死の力で、むう！　と起上ろう

とした。

「う――む!」

片膝に満身の力をこめて、微塵《みじん》も動かさじと押えつける彦四郎、色白の頰《ほお》に、さっと紅の色が散って絵のような美しさ。

「む――っ!」

八太郎の顔が、ため力で凄《すさま》じくふくれる。ぐらり、彦四郎の体が揺れた。

「いざ!」

と盃。受けた彦四郎、――危し!

一座は手に汗握って思わず乗出した。八太郎の死力、ぐぐ、と二寸ばかり彦四郎の体が浮く。

(その酒こぼさば無礼討ちぞ!)

と主計介も膝を乗出した。

「むーっ、むっ!」

最後の金剛力、と! 彦四郎は左手に盃を支えたまま、腰をあげる、片膝が八太郎の胸へずったとみるや、

「うむ!」

と一声。満面朱をそそいだ如《ご》く血がさしたと見る、八太郎の胸でぽ、き、り、！　と骨のへし折れる音がした。

（やった！）

と顔色を変える面々、彦四郎はにやり微笑したまま静かに盃を干した。

小姓の金弥は蒼白《あおざ》めた顔で、再び盃をお雪へ返す、繰返すこと三度――、そのあいだ一座は嗽《しわぶき》の声ひとつしなかった。

盃を納めた彦四郎、つと懐紙を出すや、低く呻《うめ》いている八太郎の口を押えて振返る。

「お附衆、狼藉者《ろうぜきもの》はどうやら眠った様子、早々お伴《つ》れ去り下さい」

と云って離れる、見ると八太郎の口へ当てた懐紙に血がにじんでくる、――あわてて若侍三五人が走り出た。

彦四郎は平然とお雪と並んで平伏し、

「お館様直々のお仲人、お蔭《かげ》をもって夫婦のかため相済みました段、真にかたじけのう存じ奉《たてまつ》る、憚《はばか》りながらこれにてお暇《いとま》申上げまする」

「待て」

主計介はほっと吐息をして、

「さても聞きしにまさる強力、主計介まさに感服したぞ、――生かしては帰さぬつもりであったが、その度胸、力量……殺すには惜しい。許す、千代《ちよ》かけて夫婦の仲変るまいぞ」

「は――」

お雪は思わず頬を染めた。

「その島台は土産じゃ」

「…………」

「そちにではない、城の兄上へお届け申せ」

「お城へ――？」

「昨日、兄よりお遣わし下さった物がある。その返礼じゃ、しかと届けよ」

「畏《かしこま》り奉る」

「許す、ゆけ……」

彦四郎は平三方を頂いてすべるように退る、主計介は惚《ほ》れ惚《ぼ》れとその後姿を見送っていた。

六

館を辞した彦四郎。

邸前を杉の森へかかると、待ちかねていた播磨屋宇兵衛、余吾甚左衛門の二人が走り出て来た。——見るよりお雪は、

「父《とと》さま」

と叫んで駈《か》け寄る。

「おお無事だったか」

宇兵衛のとる手へ、一時に気がゆるんでお雪はわれしらず咽《むせ》びあげていた。

「播磨屋どの」

彦四郎が静かに、

「須野のお館の御前に於《お》いて、たしかに婚礼の盃を取交わしてござる」

「はい」

「珍しき三々九度の模様はお雪どのよりお聞き下さい、いずれ明日にでも改めてお雪どのを拙者方へお迎え仕《つかまつ》る」

「色々と、どうも有難《ありがと》う存じました」

「甚左、——貴公お二人を送って行ってくれ、拙者はこれよりお城へあがらねばならぬ」

「城へ……この時刻にか？」

「これを見ろ」

彦四郎は小脇《こわき》に抱えた物を示して、

「お館より殿への贈り物だ、――なんだと思う？」

「分らぬ」

「首だ、首だよ」

甚左衛門はびくりと首を縮めた。

播磨屋父娘《おやこ》を甚左衛門に托《たく》して、彦四郎はそのまま登城する。夜中ながら急用とあってすぐに目通りを許された……。

書院へ通った彦四郎は、挨拶《あいさつ》もそこそこにして平三方に載せた贈り物を押し進め、――主計介の口上を伝えた。

「昨日の返礼と申したか」

「は！」

石見守長房は眉《まゆ》をひそめ、しばらく黙っていたが、やがて静かに、

「一同遠慮せい」

と云った。――侍臣は拝揖《はいゆう》して退る。長房は膝をすすめて、

「彦四郎、その包、あけてみせい」

「はは」

彦四郎は畏って包を解く、——果して、中から生首が現われた。それも長房お気に入りの一人、近習頭谷川主馬《しゆめ》の首だ。

「む——介《すけ》め！」

長房の顔がさっと変る。

「やりおったな、——介め！」

怒りにおののく呻きだった。

長房は弟を愛していたのだ。主計介が武人として有り余る才能をもちながら、一生埋れ木同様の境涯《きようがい》にあることが、どんなに辛いかよく分っていた、さればこそ日頃《ひごろ》の乱暴も見て見ぬふりをしてきたのである、しかし近頃のように近臣を斬《き》ったり領内の娘たちに手を出したり、乱行の限りを尽すようでは幕府への聞えは勿論《もちろん》、第一に領内の政道が立たぬことになる、——そこで再三諫《いさ》めの使者を遣《や》ったのだ。

ところが、昨日やった諫使《かんし》、谷川主馬を主計介は斬ったのである。しかもその首を土産だといって送り返す乱暴。

「は！」

「もはや堪忍《かんにん》もこれまでだ、改めてその方に申付ける、介の首を討って参れ」

彦四郎は答えなかった。

「すぐに行け！」

「おそれながら、それはあまりに」

「いうな。今日まで改心させようと思い手を尽したが、その心遣いもあだであった、このままにおいては家の大事にも及ぶであろう、申付ける、斬って参れ」

「お言葉にはござりまするが……」

「ならぬと云うか」

「は！　理由は如何にもあれ、殿御肉親の主計介様、臣下としてお手に掛け参らする事は出来かねまする」

「黙れ彦四郎！」

長房は忿怒《ふんぬ》した。

「肉親の弟であろうとも、予が申付ける以上何の憚りがあろう、――彦四郎、そち……介の腕に怖《おそ》れたな？」

「何と仰《おお》せられます」

「介の武勇に怖れたのであろうが」

「……殿――」

彦四郎は微笑した。

「お受け致しまする」

「口惜しいか」

「臆《おく》したとのお言葉は、武士としてお仕え申す一分《いちぶん》に関《かか》わりまする、検視役一名お差添え下さりませ、臆病ならぬ証拠を御覧に入れまする」

「よう申した。十兵衛」

長房は声高に呼んだ。

「十兵衛は居らぬか！」

「は――」

次の間の返辞を聞くと長房は振返って、

「これで討つのだ、すぐに行け」

長房は手ずから佩刀《はいとう》を与えた。

運命ほど不思議なものはない、つい半刻《はんとき》まえには婚姻の仲人となったその人を、今度は逆に討たねばならぬのだ。――支度があるから、と云って自宅へ立寄った彦四郎は、何やら手早く書面を認《したた》めて、

「忠平――」

と家僕を呼び、

「これを余吾氏のもとへ届けて参れ、急ぐぞ」

「はい」

申付けて置いて家を出た。

七

検視役岡本十兵衛とともに、彦四郎が須野の館へ着いたのはその夜四つ半（午後十一時）に近かった。

「お城より御上使」

とあって、ただちに開門。

玄関にかかってしばらく待つうち、彦四郎は手早く身支度をして、拝領の大剣、鯉《こい》口《ぐち》をぷつりと切った。

「如何なることになりましょうとも、必ずお手出し無用に願います」

「心得ました」

云うところへ、足早に柳太平が出て来た。見ると監物彦四郎である。

「御上使とは貴公か」

「如何にも」

「お館にはすでに御寝所へ入らせられた、お目通りはかなわん！」

「貴公、御上使と申す意味が分らんな」

「なに？」

太平が一歩出る、刹那《せつな》！

「無礼者——！」

叫ぶと同時にぎらりと剣が光った。あっ！　と云ってかわそうとしたが遅い、肩を胸まで斬り下げられて、

「ぎゃっ！」

と太平は仰《あおのけ》ざまに倒れた。

「御検視、おつづき下さい」

そういって彦四郎は玄関へあがる、鼻先へ——悲鳴を聞いて駈けつけた鬼鞍伝八、布目大蔵、血刀をさげた彦四郎を見るや、

「あっ！」

と云って踏み止《とどま》る、同時に、

「君側《くんそく》を紊《みだ》る奸物《かんぶつ》！」

喚いて彦四郎がとび込んだ、出も退きもならぬ必殺の気、大蔵は真向を割られて、うんともいわず横へ、伝八は危くかわして抜合せたが――

「痴者《しれもの》！」

ひっ外《ぱず》した彦四郎、だだ！　のめるところを踏みちがえて脾腹《ひばら》へ一刀。

「わあーっ！」

悲鳴と共によろめくところへもう一刀、首の根を半《なか》まで斬る、伝八の体は襤褸布《ぼろぬの》を投出すように、どうと式台へのめり倒れた。

「上使でござるぞ！」

彦四郎は大声に叫びながら、血刀を右手に奥へ踏込んだ。――若侍が二三人、走り出て来たが彦四郎と見るなり、そのまま色を変えて逃げて行く。

「お館にはいずれにおわすや、監物彦四郎、御城より上使として推参仕った、見参！」

彦四郎は叫びながら客間へ入った。

と――上座の襖《ふすま》がすっと開いて、主計介《かずえのすけ》が現われた。袴《はかま》の股立《ももだち》を高く取り、襷《たすき》をかけ、汗止めをした凛々《りり》しい姿、右手に兼光二尺八寸の愛刀をさげてずずずと出る、――近侍三名がそれに従った。

「彦四か、上使の役大儀じゃ」

「はは！」

彦四郎は片膝《かたひざ》をつき、

「夜中、お館を騒がし恐れ入り奉ります」

「問答無益、兄の申付けで予を斬りに参ったのであろう、相手する、立て！」

「如何《いか》にも」

彦四郎はにっこと笑った。

「御上意によりお首《しるし》を頂戴《ちょうだい》仕る、お覚悟遊ばせ」

「――来い！」

「御免」

彦四郎はつとたって五六歩退った。主計介は静かに兼光を抜き、青眼《せいがん》に構えながらずいと出た。――彦四郎は青眼やや下段に取る、籠手《こて》を左へ引いて呼吸を納めた、――岡本十兵衛はずっと退ったところに、息を殺して見まもった。

「えーい！」

主計介の第一声。

彦四郎は眼も動かさぬ、主計介は左足を爪《つま》ずりにじりりりと寄せながら、

「や！　えーい!!」

叫んで、さっと空打を入れた。

彦四郎はぱっと二歩さがってそのまま、主計介も同時に元へ退いて構え直した。

──一瞬二瞬。殺気は次第に充実し、二人の呼吸は空間に火花を散らすかと思われる。

「えーい、おっ！」

主計介の第三声。

「やあッ！」

彦四郎の声、刹那！　主計介の上半身が伸びて稲妻の如く走る剣、面へ！　と見るや、神速に切返して胴へくる。

「とう！」

跳びちがえた彦四郎、流れる剣を上から、が！　と烈《はげ》しく叩《たた》く、刹那！　主計介の剣は蛇《へび》のように躍って、

「や、えいッ」

猛然と胸へ！

八

烈しい突！

戞《かっ》！

受けた彦四郎、鋭くかわして左足を開く、身を沈めながら下ざまに払う、が、
戞！

危く主計介が受ける、刹那！

「御免――」

叫びざま飛礫《つぶて》のように巌《いわお》も砕けよと体当りをくれた。体が崩れていたから腰をとられてだだだ、主計介がよろめく、措《お》かせず彦四郎は右足を主計介の内股へかけて、どうとその場へ押倒した。

「うぬ!!」

はね起きようとするのを、ぐっと金剛力に絞込んで右手に抜く差添えぴたりと主計介の喉元《のどもと》へ差しつけて、

「御検視……御検視！」

と叫んだ。

「とくと御検分下されい」

「おみごとでござる」

十兵衛の声もさすがに変っていた。

「おしらべ下すったか」

「如何にも、始終たしかに拝見仕った」

「さらば直ちに御帰城の上、次第を殿へ御復命下さい、拙者はお首頂戴《しるし》のうえ後より参る、彦四郎は臆病ならざりしと、――必ず言上お願い申す」

「委細承知仕った、さらば」

答えるとともに十兵衛は急いで立去った。

主計介を押え込んでいた彦四郎、やがて十兵衛の退邸よしとみるや、いきなり差添えを投出してとび退き、――二三間退って平伏。

「御容赦……御容赦下さりませ」

と云う。

「どうした、首打たぬか」

「もったいのうござります、如何に御上意とは申しながら、お館様に対しお手向い仕りました段、重々お詫《わ》びを申上げまする、お赦《ゆる》し……お赦し下さりませ」

「彦四、その方――」

　身を起したが、主計介は後を継ぐべき言葉がなかった。――襖ぎわで、手に手に槍《やり》、刀を持った家臣が、出るに出られずうろうろしていたが、事おさまれりと見て、

「狼藉者《ろうぜきもの》――」

　と喚《わめ》きながらどやどやと現われる。

「控えろ！」

　主計介が大声に叫んだ。

「一人も来ることはならん、退りおれ‼」

　凄《すさま》じい面色に、一同慄《ふる》えあがって引返したのは笑止であった。――彦四郎は面をあげ、

「この上のお願い、改めて彦四郎言上仕りまする、お聞き届け下さりましょうや？」

「申してみい」

「当地をお立退き遊ばしませ」

「放国か――？」

「余事は申上げませぬ、ただ御兄君の御心中お察し遊ばせ。お館様ほどの御器量なれば、いずれへ参ろうとも立派に御出世の途《みち》はござりまする――憚りながら手前お供を

仕ります」

「そちも行くと云うか」

「は、既に用意を致してござります」

「――面白《おもしろ》い」

主計介は微笑した。

「一生涯七百俵の飼い殺しより、青天井《あおてんじょう》をいただいてのびのびと生くるも興があろう、――行こう、しかし随身どもの処置は？」

「お館様を毒し参らせた奸臣共、頭株は斬って捨てました。余の者にはお上の御意がござりましょう、御心置きなく……いざ」

主計介は頷《うなず》いて立った。

それから一刻の後である。

旅装した主計介と彦四郎が、須野の館を出て丹後路の狩坂へかかった時、――道傍《みちばた》の辻堂《つじどう》の前のところに、提灯《ちょうちん》をともして四人の人達が待っているのに会った。

「甚左か――」

彦四郎が声をかける、ばたばたと駈け寄って来たのは、播磨屋宇兵衛と甚左衛門、旅支度のお雪と家僕忠平の四名であった。

「なんだ彦四、この者達は——?」

「はは」

彦四郎はお雪の手をとって、

「お仲人を願いました妻、雪にございます」

「おお」

「旅とは申せ、女手が無くては御不便と存じまして、お供の内に差加えました」

主計介はふふふふと笑った。

主計介の顔は晴れ晴れと輝いた。

少し離れたところで、甚左衛門も宇兵衛も頬笑《ほほえ》んだ。旅へ出る主人を気遣って来た忠平も、釣《つ》られるように笑っている……そしてお雪は全身を嬌羞《きょうしゅう》で縮めながら、そっと彦四郎に寄添うのであった。

青い空が微《かす》かに明けはじめた。


（「キング」昭和十一年七月号）

浪人一代男

祭の街巷《がいこう》

一

「よい根附《ねつけ》だね……十両はふめる」

「どれで――？」

「彼処《あすこ》へ行く三人連れの侍、右の端さ」

芝神明《しばしんめい》さまの宵祭《よいまつり》で、街並に花笠《はながさ》を飾り、軒の提燈《ちょうちん》に灯《ひ》のはいったところ、揃《そろ》い浴衣《ゆかた》の男たちや、美しく着飾った娘たちで、織るような雑沓《ざっとう》のなかを、三人の武士が七軒町から神明通りへ出ようとしている――そのあとを跟《つ》けている二人連れの男女があった。

女は洗髪《あらいがみ》に黒っぽい縮緬《ちりめん》の単物《ひとえもの》、白博多の帯を伊達《だて》にぐいとさげて締めた阿婉《あだ》っぽい風俗、ちょいと見ると囲者《かこいもの》といった感じだ。伴《つ》れの男は二十七、八であろうか、結城木綿《ゆうきもめん》の千筋《せんすじ》を着て寸のつまった帯、つっかけ草履《ぞうり》で、男振りこそぱっとしないが何処《こ》にも隙《すき》のない容子《ようす》恰好《かっこう》——まあ近所の職人というところである。

「なるほど、翡《ひ》翠《すい》ですね」

「琅玕色《ろうかんいろ》の五分玉——でも、おまえには無理な相手さ」

と女が唇《くちびる》で笑った。

「やって見せましょうか」

「とちると首がとぶよ」

若者はにやりとして、ついと足を早めた。

侍たちは四辺《あたり》構わぬ大声で何か話しながら行く——神明さまの祭りだ、二本差に威張られて堪《たま》るかと云《い》う風に、勢いかかる者もあるが、侍たちの顔を見極めるとたんにこそこそ避けて行くところをみると、この三人連れ相当に名が通っているらしい。

例の若者は鼻唄《はなうた》をうたいながら、侍たちの右側を前へ追抜こうとして、とんと軽く肩を当てる。

「おっと御免なすって……」

云いながらすり抜けようとする、とたんに右端にいた侍が体を捻《ひね》ったと見ると、腰の印籠《いんろう》へかけた若者の手を、いつ抜いたか小柄《こづか》で——ぶつりと突止めていた。早業である。

「あっ痛!!」

若者は咄嗟《とっさ》に手を外そうとしたが、突止めた小柄は骨に通ってびくともしない、

――侍は見向きもせずに話を続けながら大股《おおまた》に歩いて行く。若者は突止められた己の手に引摺《ひきず》られるように歯を喰《く》いしばったまま五六間、

「だ、旦那《だんな》……」

ついに音をあげた。

「お慈悲でございます、若《も》し――旦那」

「どうした」

伴れの侍が振返った。

「ふっふふふ、巾着切《きんちゃくき》りだ」

「ええ?」

「拙者の印籠を狙《ねら》いおったで、ちょいと悪戯《いたずら》をしてやったところだ」

「それは又馬鹿者《ばかもの》だな、柚木《ゆのき》道場の髭大倉《ひげおおくら》を狙うとは、駈出《かけだ》し者にしても眼《め》が利《き》かな過ぎるぞ。どれ面《つら》を見せろ」

覗《のぞ》き込もうとする刹那《せつな》!

「――畜生――」と喚《わめ》いて、若者が左足を髭大倉の内股へ入れた。油断をしていた隙

だから、

「あっ！」

だっと蹟《つまず》く、そこへ隙《す》かさず体当りをくれたと思うと、若者は燕《つばめ》のように跳んで、

「さんぴん、抜いたぞ」

血だらけの右手に、高く印籠を振って見せると、身を翻《ひるがえ》して逃げようとした。然《しか》し
その背へ、髭大倉が小柄をとり直して今にも手裏剣《しゅりけん》を打とうとする気配、

「危ねえ！」

と感じて、鼠《ねずみ》のように背を跼《かが》めて二三間走ると、若者は向うからくる一人の浪人の
背後へ、

「お助け下さいまし」と素早く廻《まわ》り込んだ。

——この騒ぎに驚いた群衆は、どっと左右へ崩れ散ったが、いま若者が隠れた浪人
の姿を見るなり、

「や、業平浪人《なりひらろうにん》だ」

「新銭座《しんせんざ》の色男が出た、こいつあ面白《おもしれ》え」

「業平浪人だ、見ろ見ろ」

と俄《にわか》にどよめきながら、遠巻にぐるりと人垣《ひとがき》を造った。

業平浪人と云われる男は年の頃《ころ》二十五、六か、色の飽くまで白い、眉目秀《びもくひい》でたすばらしい美男、痩形《やせがた》の五尺六七寸はあろうという体に、黒無地紋付の帷子《かたびら》、蠟色鞘《ろいろざや》の大剣を落し差しにして雪駄穿《せったば》き——慄《ふる》える若者を背に庇《かば》って、やや反身に立った姿は、あっぱれ五段目の定九郎というところである。

三人の武士が追いついて来た。

二

「そこを退《の》かれい」

髭大倉が先《ま》ず声をかけた。

「何か御用か」

浪人は眉《まゆ》も動かさなかった。

「貴公の知った事ではない、退かれい！」

「厭《いや》だ」

「——な、なに厭だ？」

髭大倉が髭を喰いそらした。

「其奴《そやつ》は巾着切りで、拙者の印籠を盗み取った奴だが、貴公それを承知で庇う気か」

「巾着切り……？」

浪人は訝《いぶか》しそうに振返った。

「貴様、掏摸《すり》か」

「へえ、仲間の意地でこの印籠を狙いましたが、抜いてしまえば用済み、彼方《あちら》へお返し申しますからどうかお助けを」

と差出す手を見た。

「その手をどうした？」

「こいつへ手を掛けたとたんに、彼方が小柄でお突止めなすったので」

若者が手短かに話すのを聞くと、浪人はにやりと微笑して、

「そうか、そんならその印籠は貴様の物だ、その方納《しま》って早く逃げろ」

「へえ……宜《い》いのですかい？」

「後は引受けた、行け」

顎《あご》をしゃくられて掏摸の若者は、ぱっと群衆の中へとび込んでしまった。

「や、逃がしたな！」

髭大倉が踏出すはなを、

「待て待て」

と浪人が遮《さえぎ》った。

「この勝負は貴公の負だよ。高の知れた巾着切り、頰桁《ほおげた》の一つも張って遣《や》れば済むものを、生兵法《なまびょうほう》で手を突止めるなどという無慈悲な事をするからこんな始末になる、――宜いかの、手を突止めた以上は腕と腕の勝負だ、あの掏摸が突止められた手で見事に印籠を抜いたとすれば、つまり勝負に勝った訳ではないか、この理屈はお分りであろう、ふふふふふ」

「よ――う業平浪人大当り」

「新銭座の親玉あ、確《しっか》り頼みます」

群衆は大悦《おおよろこ》びである。――然《しか》し髭大倉はじめ三人の武士は怒った、いや本当に怒った。互《たがい》に眼配せをすると、三人はさっと左右へひらく、髭大倉が一歩出て、

「素浪人、生兵法を見せるぞ」

喚くのと同時に、腰を落して居合抜きに一刀、胴へ斬込《きりこ》んできた。

「心得た！」

浪人は大きく右へ体をひらいて躱《かわ》す、刹那！　左右の二人が抜きつれて詰寄るのを、退きでもする事か、逆に出てくるところへ跳込んだと思うと、だだだ、二三度もつれて、

「や、えい、そら——!!」

鋭い掛声が響く、と見る間に、髭大倉は横さまにすっ飛んで倒れ、一人は犬のように這《は》い、一人は仰向《あおむき》に頭で地面を叩《たた》いていた。

「わあ——日本一……」

「やんや、やんや」

群衆はわっとどよめき立った。

浪人は呼吸も変えず倒れた三人を見下していたが、向うから町役人の走って来るのを見ると、さっと裾《すそ》の塵《ちり》をはたいて、足早に神明通りの方へ、——わっと集《たか》って来る群衆から遁《のが》れるように立去っていった。

さっきからの騒ぎを、群衆のなかにいて凝《じっ》と見ていたもう一人の武士がいた。旅支度をして笠で顔を隠しているが、年はもう若くはない、——この武士は、浪人の後を見え隠れに跟けて行ったが、新銭座へかかるところで小走りに追いつき、

「失礼ながら御意を得たい」

と声を掛けた。

——浪人が足を止めて振返ると、いきなり笠を脱《と》って、

「ああ矢張り津村氏《うじ》であったか、拙者深井《ふかい》孫七《まごしち》でござる、宜《よ》うこそ御健固で——」

嬉《うれ》しそうに腰を跼《かが》めるのを、冷やかに見やった浪人は、挨拶《あいさつ》を返そうともせずに行きかかる。——旅の武士は慌《あわ》てて、

「あ、暫《しばら》くお待ち下さい、この度の出府には、貴殿にあって是非ともお願い申さねばならぬ事がござる」

「聞かぬ、聞きとうない」

浪人は鋭く遮った。

「太田原藩《おおたわら》とは三年以前に縁が切れている、今は天涯無禄《てんがいむろく》の津村三九馬《つむらみくま》、貴公に物を頼まれる覚えはない」

「でもござろうが御家の大事にて」

「諄《くど》い、——」

ぴしりと言葉を叩きつけて、浪人三九馬は大股に横丁へ歩み去った。

新銭座も端《はず》れに近い裏店《うらだな》、路地の片側は桑山備後守《くわやまびんごのかみ》の下屋敷の高い塀《へい》で日ざしの悪い割にはからりと乾いた一劃《かく》——俗に藁店《わらだな》と呼ばれている長屋のひと間が津村三九馬の侘住居《わびずまい》であった。

浮世唄

一

「折角持って来たんですもの、お重ねなさいましな」

「もう充分に酔った」

「あんな事仰云《おつしや》って、些《ち》っともお色に出ていないじゃございませんか」

女は嬌《なま》めかしく身をひねった。

神明祭の夜、例の若い掏摸《すり》と組んでいた女である。あの明る日、手土産を持って礼に来てから、三日にあげず酒肴《しゆこう》持参で通う、――ひどい執心ぶりなのだ。

「こんな婆《ばあ》さんのお酌《しやく》では御酒も美味《おい》しくはございますまい」

「元来酒は美味《うま》いものではない」

「御挨拶ですこと、美味くないものをどうして召上ります？　業平浪人の五升酒と近所の評判を知っていますよ」

「うるさいな」

三九馬はごろりと横になった。自ら「白狐《びやっこ》のお紋」と名乗る女白浪《しらなみ》――こんな女の押しつけがましい振舞酒にも、容易《たやす》く酔える今の身の上、五升酒の業平浪人などと呼ばれて、まさに一介の市井無頼《しせいぶらい》に堕しつつある事を思うと、三年前の己の姿は、早くも手の届かぬ夢の彼方《かなた》に遠のいて行く。

「まさに行雲《こううん》――流水《りゅうすい》だなあ」

三九馬は眼を閉じて低く呟《つぶや》いた。

下野《しもつけ》国太田原藩で物頭《ものがしら》五百石を取っていた津村壮兵衛《つむらそうべえ》が、三九馬の父であった。

――藩主太田原信敏《おおたわらのぶとし》は暗愚の質で、当時五万四千石の藩政は国家老谷沢曹太夫《くにがろうたにざわそうだゆう》が一手に切り盛りしていた。

事件の起ったのはちょうど三年前のことであった。信敏は世継がなく、不二緒《ふじお》という娘一人であった為《ため》、縁辺に当たる足利《あしかが》藩戸田采女正《とだうねめのしょう》の三男竜之助を、不二緒の婿《むこ》として迎える事になった。――ところで国家老谷沢曹太夫は、早くから己の一子仙太郎《せんたろう》を、主家の世継に嵌込《はめこ》もうという野心をもっていたから、裏には竜之助の入婿を決しながら秘《ひそ》かに奸策《かんさく》を弄《ろう》し始めたのである。

元来曹太夫の家は藩主の外戚《がいせき》に当っていたので、こんな時にはひどく都合が宜い、巧みに同志を語らって婚約破談の密謀を進めた。――その第一着手として、

「不二緒は藩中の若者と私通している」

という噂《うわさ》を足利藩へ触れ込んだ。

足利藩でも捨て置けぬので、それとなく様子を探りに人を寄こしたが、これこそ曹太夫のつけ目であった。彼はこの探索を仰々しく信敏に告げて、

「いやしくも五万四千石の領主の姫に、藩臣と私通したなどと云う評判を立てて探索を入れるなどと申すは奇怪至極――かかる侮辱をこうむってまで足利藩よりお世継を迎える必要はございますまい」

と言葉巧みに唆《そそ》のかした。

素《もと》より暗愚の信敏である。曹太夫の舌先三寸に丸められて危うく破談を申入れようとした。この時津村壮兵衛が起《た》ったのである。――壮兵衛は破談の事を待って貰《もら》って急遽《きゆうきよ》足利藩に赴き、噂の根源を突止めると、果然それが谷沢曹太夫の糸を引いている事を知った。そこで早々帰藩したうえ、百方《ひやっぽう》奔命に努めたが……既に曹太夫の術策固く成った後で、どうにも事態収拾の道が無い。万途尽きた結果、壮兵衛は家も名も抛《なげう》って必死の挙に出た。

「足利藩へ悪評を放ったのは自分である。伜《せがれ》三九馬は姫君と乳兄妹《ちきょうだい》にて、あわよくば彼をお世継に進めんと計り、不逞《ふてい》の流言を触れて足利藩との御縁組を破ろうとしたの

である。然し事の成り難《がた》きを知って自分は自決するから、どうか竜之助様との御縁組は相違なく取進められたい」

そう云う遺言と、別に君側《くんそく》の奸《かん》を諷《ふう》した一書を残して自殺した。

曹太夫の策謀の裏を掻《か》き、みずから悪名を負って諫死《かんし》したのだ。——事情を知る者は壮兵衛の苦衷《くちゅう》を察したが、曹太夫は飽くまで奸黠《かんかつ》に立廻り、信敏をして壮兵衛の死体に改めて刑死を命ぜしめたうえ、遺族二名、妻かな女と一子三九馬を下司払《げすばら》いに放逐した。

「何と云う馬鹿げた事だ」

三九馬は嚇怒《かくど》した。

「殿の暗愚もさる事だが、家中誰《かちゅうだれ》一人として正邪を糺《ただ》す者無く、易々《いい》として曹太夫の前に這っている態《ざま》——諫死した者の死体に改めて刑殺を命じ、遺族を犬のように放逐するなど……父は何のために死んだのだ」

考えると実に馬鹿みたいな話である——それでも一度は、父の遺志を継いで曹太夫を刺殺しようと思わぬでもなかったが、信敏の愚さ、家中の馬鹿者揃《ぞろ》いを考えると、今更そんな事をしたところで、結局泥棒《どろぼう》に追銭だと云う気がして、此方《こちら》から見限《みき》りをつけて太田原藩を立退いたのである。

江戸へ出てから三年、そのあいだに母を亡《な》くした。――母は父の死から受けた痛手と自分が乳をあげた不二緒姫の身上を気遣うのと、二つの心労に耐えられず江戸へ出て来て半年あまりの内に死んでしまったのであった。

二

「母が死んで二年余日」

三九馬は水のような哀傷が、胸いっぱいに溢《あふ》れるのを感じた。

「あれから身を持ち崩して、道場破りはする、賭《か》け仕合はする、博奕場《ばくちば》出入りまでする境涯《きようがい》――我ながら変ったなあ」

「ねえ、先生……」

お紋は手酌で飲んでいたが、仰向に寝転んだままいつまでも黙っている三九馬の容子を見ると、ほんのりと酔ってきた勢いも手伝って、焦《じ》れったそうに身をすり寄せた。

「あたし独りこんなに酔わせて、知らぬ顔の半兵衛は罪じゃありませんか、ねえ――」

「うるさいな、己《おれ》は眠いのだ」

「お紋も眠くなりましたわ」

「そんなら帰って寝るが宜《い》い」

「こんな気にさせて置いて、帰って寝ろは邪険でしょう――少しは可哀想《かわいそう》と思召《おぼしめ》せ」

お紋は阿婉《あだ》っぽく片肱《かたひじ》をついて、上気した眼を恍惚《こうこつ》と男の横顔へやりながら、やるせ無げに熱い吐息をもらした。

「十六の年に嫁に行って五年、亭主《ていしゅ》に死なれたあと子供もなく、ひょんな機《はず》みから女白浪にまで落魄《おちぶ》れたけれど――体だけは汚さずに来た。二十七の今日まで、すっかり男の味を忘れていたのに……神明さまの祭の晩、先生の伊達《だて》なお姿を見たとたんに、自分でも呆《あき》れるくらい初心《うぶ》な気になってしまった――ねえ先生、お紋をお側《そば》に置いて下さいましな」

「侍崩れに女白浪――宜い相棒かも知れぬ、ははは」

三九馬は空《うつ》ろに笑った。

笑いながら、ふいと不二緒の俤《おもかげ》がうかんできた。母がお乳人《めのと》にあがった縁で、幼い頃には遊びの相手もした、――成人してからは「太田原の耀夜姫《かぐやひめ》」と評判される美人になったが、幼い時分にも綺麗《きれい》で、少年三九馬の眼にさえ眩《まぶ》しいくらいにうつったものである。

「……三九馬は女のようねえ」

そう云って、あどけなく振仰ぎながら、お庭の隅《すみ》で折取った椿《つばき》の花を一輪、三九馬の髪へ背伸びをしながら挿《さ》し、

「あら、よく似合うこと……」

と鈴のように眼を瞠《みは》ったことがある。――それも遠い幻の今は、今は……？

「ああ！」

三九馬は、がばと起上った。

「酒をくれ、酔が醒《さ》めた」

「まあ、どうなさいましたの、急に――」

「酔いたい、骨の髄まで酔わしてくれ」

「お酔いになったら口説きますよ」

お紋は銚子《ちょうし》を持ってすり寄った。膝《ひざ》が紊《みだ》れて、白い下の物が嫣《なま》めかしく畳を舐《な》める。

三九馬はたて続けに、もう冷えている酒を呷《あお》りつけた。

「お紋にもお合《あい》をさせて……」

と肩を凭《もた》れかけようとした時、

「御免――」と門口へ訪う声がした。

「何誰《どなた》だ」

「御主人に御意を得たい」

三九馬は盃《さかずき》を措《お》いて起《た》った。出てみると門口に二人の武士が立っている。その一人は意外にも神明祭の夜会った髭大倉だ。

「や、矢張り此方《こちら》でござったか」

髭大倉は三九馬を見ると愛想笑いをして、

「過日は御無礼仕《つかまつ》った。拙者は愛宕下《あたごした》柚木道場の大倉太平と申します。何卒御別懇《なにとぞごべっこん》に」

「手前は和田兵助と申します」

二人とも厭《いや》に叮嚀《ていねい》だ。

「何ぞ御用か」

三九馬はにこりともしない。

「実は、いやその、実は、過日の有様を師匠柚木久右衛門が見ていた由《よし》で、全くもって拙者共の無思慮と、あれから甚《はなは》だお叱《しか》りを蒙《こうむ》った訳でござるが、ついては師匠より改めてお詫びも申上げ、また別に御相談申上げたい件もあるとの事で——是非道場へお運び下さるようにと、お願いに参った次第でござるが」

恐る恐る云うのを聞くと、三九馬は初めて唇に冷笑を浮かべた。

「如何《いかが》でござろうか——?」

「参ろう」

此奴等《こいつら》——誘《おび》き出して仕返しをする気だな、と早くも察したが知らぬ顔でうなずいた。

「御承知下さるか、それはかたじけない」

「されば手前共が御案内を申上げましょう」

二人はほっとした様子で、御意の変らぬうちにと促す。

「支度をして参る、暫時《しばらく》」

と三九馬は戻《もど》って帯を緊《し》め直し、愛剣郷《ごう》ノ義弘《よしひろ》二尺八寸を取上げた。

「先生危い。このあいだの奴でしょう?」

お紋が気遣わしげに止めようとするのを、三九馬は見向きもせずに出た。

「いざ参ろうか」

と伴れ立って去る。——お紋は捨て置けずとばかり、これも後から色を変えて外へ

……。

三

いやどうも大変な饗応《きようおう》である。柚木道場の奥の広間に、贅《ぜい》を尽した酒肴の支度がしてあって、髭大倉をはじめ若干の門人たちが下へも置かぬ接待、三九馬は拒みもせずに盃の満をひいていた。——すると、暫《しばら》くして四十四、五になる赫顔《あからがお》の、髪を総髪にした武士が出て来て、

「宜《よ》うこそ御入来、拙者当道場の主、柚木久右衛門と申す。過日は門弟共が……」

と慇懃《いんぎん》に挨拶《あいさつ》するのを三九馬はさえぎって、

「いや固苦しい挨拶は御免蒙りたい。折角御馳走《ごちそう》の酒がまずくなる——それよりお近付きに一盞《さん》参ろう」

「これは痛み入る、然らば御意に任せて」

たくましい体をずいと寄せて盃を受けた。家での酒で下地があるから、三九馬はもうかなり酔っている。

久右衛門はそれを見ると、側にいる門人たちに座を外せと合図をした。

「失礼ながら」

二人きりになるのを待兼ねて、柚木久右衛門は盃を置いて切出した。

「実はちと御相談がござる」

「うん」

「先夜のお腕前を拝見仕って、是非とも御助力を仰ぎたいと存じたのでござるが。

――あけすけにお話し申す、百金お儲《もう》けなさらぬか」

「金百両、わるくないな」

三九馬は手酌で呷った。

「将軍家でも斬るか――？」

「冗談でなくお聞き願いたい」

久右衛門は膝を進めた。「仔細《しさい》は申上げられぬが、或《あ》る御邸《おやしき》より身分高き方を密々にお伴《つ》れ出し申上げ江戸より二日路の某所まで守護して参るだけの役でござる」

「では拙者などの出る要はあるまい」

「いやそれが」

久右衛門はごくりと唾《つば》をのんだ。

「実はその方に害心を持つ輩《やから》があって、途中如何《いか》なる妨げをするかも知れず、万一の場合に備えるためのお願いでござる」

「ふーむ。それで百金か」

三九馬は興も無さそうに、「百金は悪くない値だが……その身分高きお方とやら云うのはどんな人物か」

「さあ、それは――」

久右衛門が云い渋っていると、襖《ふすま》を明けて一人の立派な老武士が、

「それは拙者から申そう」

と云いながら入って来た。三九馬はふっと振返ったが、見るなり、

「や、谷沢曹太夫」

と云って片膝立てた。相手もその声に驚いてはたと足を止める。鋭い眼でじろり三九馬を見ると――さすがに顔色をかえた。

「津村三九馬……」

眼と眼とが空で火花を散らす一瞬――と、不意に三九馬はどっかと尻《しり》を落して、

「わはははは」

腹の底から笑いだした。

「こいつは大笑いだ、ふはははは。おい谷沢老随分変った対面だな。拙者はもう疾《と》うに太田原家は貴公の物だと思っていたが、まだそんなところをまごついているのか。智恵者の曹太夫にも似合わぬ、さりとは気の長い事だ、ふはははは」

「――うぬ！」

体を揺すって笑う隙《すき》、曹太夫は耐《こら》え兼ねたか、左手に提げていた剣を、抜討ちにばゝっ！　と斬りつけた。

「冷水か」

叫んで、体を捻《ひね》りざまぐいと曹太夫の利腕《ききうで》を抱え込む三九馬、すっくと立って、

「騒ぐな虫けらども！」

と怒号する。襖の向うから踏込もうとした門人たちや、狼狽《ろうばい》する柚木久右衛門が、勢いに呑《の》まれて居竦《いすく》むのを睨《ね》めつけながら、

「よく聞けよ曹太夫、太田原家と津村の恩義は、父壮兵衛の自殺で貸借なしだ。馬鹿殿が蛙《かわず》どもの笛に乗ってどんな踊りを踊ろうと、今の三九馬には縁なき衆生――したがって又貴様の手助けをするのも真平だ。高が五万石あまりの吝臭《けちくさ》い藩でお家騒動もすさまじいが、どうせやるなら谷沢ほどの奸物、町道場のぼゝゝて振り剣客など頼まずと、綺麗に乗取って見せるが宜い。この三九馬黙って見ていてやるのが何よりの助勢だ――分ったか」

存分に罵《のの》しって、だ！　と突き放す。曹太夫がよろめいて、再び斬掛る気配のないのを冷やかに見ると、――大剣を取上げて、

「ふう、これは良い具合に酔が出た、柚木先生御馳走でござったな。こういうお招きなら又お願い申すぞ、いや失礼」

ぷうっと酒気を吐きながら、悠々《ゆうゆう》と玄関の方へ立ち去った。

外へ出ると「——先生」と云って駈寄《かけよ》って来た——お紋。

「なんだ、お紋か」

「宜うまあ御無事で、どんなに案じたか知れません」

嘘《うそ》ではない、丸く張った胸が高く低く波打っている。——三九馬が眼を外らして、ひょいと向うを見ると、道場の塀廻《へいまわ》り、街並の小蔭《こかげ》に無頼《やくざ》と見える男たちが十七、八人、此方を見ながら囁《ささや》き交していた。

「仲間だな？」

お紋の思案を察して三九馬は微笑《ほほえ》んだ。

「ええ、もしもの事があったら殴込みかけようと、あたしも死ぬ積りで……ほら」

衿《えり》を少し寛《くつろ》げて見せた。

雪のように白い、脂《あぶら》の乗った豊かな胸へきりきりと巻いてある晒木綿《さらし》。三九馬はちらと見たが急いで外向《そむ》くと、

「お紋——金があるか」

「あい」

「彼奴らを呼んで来い、今夜は芝花屋で呑み明しとやらかそう」

雲の去来

一

「先生、――ねえ」

泥《どろ》のように酔った寝覚めの耳に、お紋の声が聞え、

「お起きなさいまし、お客様ですよ」

「うーむ」と起き上ったが眼が舞う。

「水をくれ」

お紋の掬《く》んで出す水を、二杯まで呷ると、朦朧《もうろう》たる眼を瞠《みひら》いて四辺《あたり》を見廻した。

「なんだ、芝花屋にいたのか」

金杉浜町の「芝花屋」という料理茶屋であれから同勢呑み明し、明る日も午《ひる》さがりから酒を始めて灯《ひ》のついたままでは覚えているが、それから後は夢中だった。

「皆はどうした」

「先生のお相手をしきれる者はいません。皆宵《よい》の内に逃げ出しちまいましたわ、——それよりもさっきからお客様が来てお待兼ねなんですよ」

「客——？　どうして此処《ここ》が知れた」

「先へ帰った者が留守番をしていて、ここまで御案内をして来たんです」

「——また柚木道場の奴だろう」

もう一杯と水を注《つ》がせていると、縁側のところへ悄悴《しょうすい》した武士が現われて、

「津村氏、御意を得ます」と声をかけた。

「誰だ——」酔眼をあげてみる。

「なんだ深井孫七か」

神明祭の夜、新銭座の途上で会った相手だ。

「貴公なら用件は分っている、何も云わずに帰れ帰れ」

「そう仰せらるる御胸中は重々お察し申す。然し退引《のっぴき》ならぬ事情があって、是非とも御助力に与《あずか》らねばならぬ状態でござる——御尊父の事、貴殿御母子の御痛忿《ごつうふん》。いま申すも愚かながら、御主君の不明と家中一統の無能は実にお詫びの言葉もござらぬ」

「それを承知で何故《なぜ》来た？」

「津村氏？」孫七は膝をにじらせた。

「太田原藩のためとは申上げぬ、貴殿とはたしかにお乳兄妹におわす、不二緒姫一代の大事にござる、――お力をお藉《か》し下されい」

不二緒の名を耳にした刹那《せつな》、三九馬の眼がきらりと光った。

「貴殿はまだ御存じあるまいが、姫には去年の夏、ふとした時疫《じえき》から眼を患《わずら》われ、いまではほとんど御失明御同様でござる」

「なに……、姫が失明したと――？」

「谷沢曹太夫め、御尊父の諫死《かんし》に依《よ》って一度は鉾《ほこ》を納めたものの、御失明同様の御身上になるや、またぞろ野心を燃やし始め――かかる不自由のおからだにて、他家より世継を迎えては、行末姫の不幸となるは必定《ひつじよう》と、……さらでもお気弱の殿を云いくるめ、足利藩へ再度の破約を申入れたのでござる」

三九馬はごろりと仰向けに寝転んだ。――然し孫七は飽くまで説伏せずには置かぬという様子で熱心に続ける。

「拙者共も最早黙視できず、秘《ひそ》かに足利藩邸へ参って直々に竜之助様にお目通りを願い、事情をつぶさに申し上げました。――竜之助様には初めて仔細《しさい》を知られて甚《はなは》だしく怒り、

『たとえ盲目なりとも、一旦約束を取交した以上は必ず姫と婚儀をするぞ』と仰《おお》せられ、また、

『もし何処《どこ》までも谷沢一味が邪魔するとなれば、此方から婿《むこ》にとは云わぬ、太田原五万四千石はどうなろうと、姫を当方へ引取っても夫婦になろう』との御意でござった。拙者共はそれに力を得て事態を収拾しようと計りましたが、谷沢一味は早くもこれを察知し姫の御身柄《おみがら》をいずれかへ匿《かく》まおうと云う密謀を立て、明日――夜明け前に品川の御邸よりお伴れ出し申す手筈《てはず》、然も警護には腕利きの剣客を雇入れて、途中厳重にお送り申すとの事でござる」

孫七は言葉を切った。三九馬は聞いているかいないか、仰向になって眼を閉じたまま身動きもしない。

――孫七は続ける。

「明朝に迫った大事――拙者共は品川法泉寺前に待伏せて、お駕籠《かご》を奪還仕る所存でござるが……津村氏、谷沢一味には雇い剣客の外にも家中の達者丸川糺《まるかわただす》、鴨沢藤吉《かもざわとうきち》、大村武兵衛《おおむらぶへえ》が加担して居ります。恥しながら我らのみにては到底覚束《おぼつか》なく、御不興を押してお願いに参った――枉《ま》げて、枉げて御助勢に与りたい、津村氏！」

声を励まして呼びかけるが、返辞はなくて、いつか微《かす》かに鼾《いびき》の音が聞えていた。

「これほどに申上げても……」

孫七は黯然《あんぜん》と息をのんだ。

二
「お風邪をひきますわ、先生」

ふんわりと肌《はだ》の香を匂《にお》わせながら、お紋が寄添ってくるのを、三九馬は拒む様子もなく、

「ああ酔が醒《さ》めて来たようだな」

「お顔の色の悪いこと、早く帰って——ねえ先生、今夜は御介抱いたしますよ」

芝花屋を出たのが四つ（午後十時）過ぎ、さすがに秋の潮臭い夜気は冷え、酔の醒めかかった体にしみ透《とお》るようだった。

「帰る？——ばかを云うな、金杉通りの『小村屋』でもう一晩呑み明しだぞ」

「もういけません、毒ですよ」

「毒なら酒よりもお紋の方だろう」

「そんな憎い事おっしゃると、あとでいやと云うほど毒の利目《ききめ》を御覧にいれますよ」

お紋はつと寄って、男の脇《わき》へ手を入れると素早くぎゅっと緊めつけた。

「ばか、人が見る——」

「見なければ宜いのね」

お紋が妖《あや》しく笑ったとき、

「えへんえへん」と咳《せき》をしながら、暗がりを通り過ぎる者があった。

それみろ三九馬は苦笑してお紋から離れた。金杉橋から川に添って曲ろうとした時である、「酒」という提燈《ちょうちん》を出した小店の前で、二三人ごたごた揉合《もみあ》いながら、大声に罵りたてているのを認めた。その中からまだ子供らしい悲鳴さえ聞えて来る。

「何だ、どうした」

三九馬が寄って行った。離れて見ていた男が振返って、

「お武家様どうか助けてやって下さいまし、門附《かどづけ》の小さな娘が突き当ったとかどうとかで、無頼漢《ならずもの》が二人あのように踏んだり蹴《け》ったりの有様です、可哀《かわい》そうにまあ。あ、また——」

「退《ど》け退け」

三九馬は大股《おおまた》に歩み寄ると、今しも——地面に倒れている小娘を、足蹴にかけようとしていた奴の衿髪《えりがみ》を摑《つか》んで、

「此奴ら、生かしては置かぬぞ」

と喚《わめ》きざま、力任せに引倒した。酔っていると見えて朽木《くちき》のように顚倒《てんとう》する。

「野郎、よくも投げやあがった、さあ殺せ」

と大の字になって喚きたてる。伴れの奴が横から殴りかかるのを、ひっ外して、腕を逆に捻上《ねじあ》げた三九馬、ぐいぐいと居酒屋の店先へ持って行って――軒の提燈へ相手の面をつきつけながら、

「この面《つら》か、覚えて置くぞ」

覚えて置いて再びこの附近へは寄せつけぬと云う――顔を見て相手は仰天した。

「や、業平浪人」

と云うと捻上げられた手を振放す。

「相棒いけねえ、業平浪人だ」

「げえっ」

びっくり跳起きると、今までの勢いは何処へやら、二人とも鼠《ねずみ》のように闇《やみ》へけし飛んでしまった。

――三九馬は見やりもせずに、倒れている娘を抱き起した。年は十三か四であろう。細面《ほそおもて》の、痛々しく瘦《や》せて、抱き起す三九馬の手にはあまりに軽い体だった。

「悪い奴に遭ったの、もう追い払ったから安心するが宜い、どこか痛くしたか」

「有難《ありがと》う存じます、どこも痛めはしませんが、――三味線が……」

「三味線ならそこにある」

云われて娘は、両手を前へ出しながら、足さぐりに探そうとする。

「おまえ、眼が悪いのか」

「はい」

三九馬は、撃たれるように、痩せた小娘の顔を覓《みつ》めていたが、――側からお紋が、三味線を拾って小娘に渡すのを見ると、

「――行こう」

不意に云って、逃げるように歩きだした。

お紋が追いついて、

「どうなさいました」

と訊《き》くのにも答えず、一丁あまり行った右側の小料理店「小村屋」の中へ入ると、直ぐに酒を命じて呷るように呑み始めた。

「そんな呑み方をして本当に今夜はどうかしていらっしゃるのね」

「文句を云うな」

「でも程がありますからねえ」

「止《よ》せ、おまえが人間らしい口を利くと可笑《おか》しくなる、つまらぬ事を云わずに相手をしろ、さあ——」

「まあ怖い眼！」

凄《すご》い程蒼白《あおざ》めた顔に眼ばかりが熱をもって光っていた。

「いやですよそんな強《きつ》いお顔をして」

「宜いから呑めと云うに」

押しつけるように盃《さかずき》をやって、

「これが別れの盃になるかも知れぬ」

「えっ？——別れとは」

「江戸に三年。忌々《いまいま》しい世間が近過ぎる、武士の世界に愛想をつかしながら、無頼《やくざ》にも成り切れぬ——この己自身にも飽きてきた、——旅へ出る」

「そんな……先生——」

「旅へ出るのだ」

三

「腐れきった世の中に何の未練があろう、——これからの一生を旅に生きて旅に死ぬのだ、汚濁の世に生きるよりは、野末にどくろを晒《さら》した方がましだ。——山も川も……ずいぶん久しく見ない」
わたしも一緒に、口まで出かかる言葉をのんで、お紋はそっと盃をなめた。
——その時、この屋の軒先に、忍び音の三味線と、古風な端唄《はうた》の低唱が聞えてきた。
〽仇《あだ》し仇浪よせてはかえる浪
　浅妻舟《あさづまふね》のあさましや……
店の小女が祝儀《しゅうぎ》を持って出たが、すぐに引返して来て、
「あのウ、門附の娘が、お武家様へ先程のお礼に、お座興をすると申します」
と云った。
「あの娘ですよ」
お紋がうなずいてみせた。
〽また明日の日は誰《だれ》に枕《まくら》を交して、
　色を色を交して偽りがちなる
　　わが床のやま
よしそれとても世の中——。

三九馬は眼をとじてきいていた。

嫋々《じょうじょう》たる哀音のなかに、ありありと浮かんでくるおもかげがある。

幼き日の乳兄妹——不二緒姫の美しい顔だ。お庭の隅《すみ》であどけなく振仰ぎながら、

「三九馬は女のようねえ」

といったひとみ、あのひとみが、今は盲《めし》いているという。

夜のちまたに、無頼漢の無慈悲な手足でけたおされていた娘と、奸臣共の重囲のなかに身ひとつを支えかねている不二緒と、どうちがっているか？——姫もいま盲いの身で、あの小娘と同じように、谷沢一味の自由に任されようとしているではないか。

「酒を注《つ》げ、酔わぬ」

三九馬は烈《はげ》しく頭を振った。

「もういけません」

「止せ、独りでのむばかりだ」

徳利にはもう酒が無かった。

まるで人が違ったようである。

大きな物で引つけ引つけ、見る見る四五本の徳利を倒した、矢張り酔わなかった。

何もかも忘れたい、馬鹿のように酔痴《よいし》れたいと、呑めば呑むほど神《しん》がさえ、身内に

ひろがる肌寒《はだざむ》さは強くなるばかりだった。

然し体には限度があった。いつ酔いつぶれたか知らず、烈しい渇きを感じてふっと眼覚めると、しみとおるような小雨の音。

「あっ――」

といって三九馬は起き上った。

夢を見ていたのだ、門附の娘が、道の上に蹴転がされている夢を、そしてその顔は、まごうかたなき、不二緒姫であった。

「お家のためとは申上げぬ、貴殿にはお乳兄妹に当る姫のために」

そういった深井孫七の声が、鋭くまざまざと耳へよみがえってきた。

「お紋、お紋――」

三九馬は大声によんだ。

「あい」障子をあけてなまめかしい寝衣姿《ねまき》のお紋が顔を見せる。

「いま何刻《なんどき》だ」

「さっき増上寺の八つ半（午前三時）が鳴りました」

「しまった」

ぱっと立ち上ったが、爛酔《らんすい》しているから、よろよろと腰が砕けて、

「まあ危い、どうなさるの」

「駕《かご》を、駕をよべ」

「もうすぐ夜が明けますから、お帰りなら」

「ええ駕を呼べと云うに」

三九馬はまんさんとよろめきながら、

「金杉橋まで行けば辻待《つじまち》があろう、高輪《たかなわ》まで急ぐといえ」

「――あい」

うなずいたお紋が、手早く身支度をして出て行く。三九馬はもどかし気に着換えをすますと、裾《すそ》をしっかりと取上げ、壁にかかっている手拭《てぬぐい》をたたんで汗止めする、下緒できりりとたすきをかけ――大剣を抜いて、有明行燈《ありあけ》の側へよった。

「父上御愛用の郷《ごう》ノ義弘《よしひろ》、太田原家のためではない、不二緒さまのために、思う存分血をすすらせてやるぞ」

鍔元《つばもと》から切尖《きつさき》まで仔細にあらためて立つ、
とお紋がとびこんで来た。

「駕が来ました」

「――お紋」

「あい」

「旅へ立つのが早くなった、これが生涯《しょうがい》の別れになるぞ」

「いえ、いえ！」お紋は必死に頭をふった。

「あなたおひとりはやりません。お紋もつれて……」

いいざま手へ縋《すが》りつくのを、振り放してでる三九馬、よろよろと酔歩あやうく駕へのる。

「駕屋、酒手《さかて》ははずむぞ、法泉寺前まで鳥のようにとんで行け」

「合点でござんす。おい棒組」

「よし来た」

駕は勢いよくあがって、そぼふる小雨のなかをまっしぐらに西へ——。

別離の雨

一

高輪車丁《くるまちょう》から北丁《きたまち》にかかると、俗に銀杏寺とよばれている法泉寺の、山門前にある巨《おお》きな女夫《めおと》銀杏が銀鼠色《ぎんねずいろ》にうっすりと白みかかった空へ梢《こずえ》を抜いているのが見える――左手は品川の海で、右手は大仏で知られた如来寺、それから来感院、法泉寺と続いている土塀、

「――旦那《だんな》」棒ばなが、あえぎながら、

「いけませんぜ、何だか銀杏寺の前で斬合をやってまさあ」

「よし、下せ」

たた、と駕が停《と》まるのを、待兼ねてとび出したが、酔に足をとられてよろめく。

「酒手だ、騒ぐなよ」

と財布のまま投げあたえると、大剣を抜いて法泉寺の方へ駈《か》けつけた。
五、六間の処《ところ》へ近寄って、ひとみをこらして見ると、山門の蔭《かげ》に男乗物があって、抜刀をさげた老武士が護《まも》っている――谷沢曹太夫だ。眼を移すと道の上に、深井孫七、曽根甚右衛門、渡辺蔵人たちが斬結んでいた。充分に足場を計った三九馬は、
「深井氏、助勢に参った」

と叫びざま、乱闘のまん中へ阿修羅《あしゅら》のように斬って入った。

「あっ津村氏」

孫七が狂喜してわめく。

「やあっ、えい‼」

三九馬は眼にもとまらぬ早業で二人ばかり斬伏せる。

「此奴らは拙者が引受けた、貴公らはお駕を護れ、――お駕を渡すな‼」

「心得た」

孫七が乗物の方へ行こうとするのを、さえぎって出るひとり、三九馬は跳躍して、

「鴨沢だな、くそっ！」

といいざま胴を斬り放す。

だっと左右からよってくる相手を二、三間――誘って銀杏を背に立った。

「うむ、そこにいるのは丸川紀、大村もいるな、右の端にふるえているのは愛宕下の柚木先生か、お気の毒だが百金の儲けはふいになりそうだぞ――来い、丸川」

「こうか！」

丸川紀が必殺のつきを入れてくる。ひっ外して突然右へ、奇襲、柚木久右衛門の面を軽く斬る、同時に左足大地をけって、

「えい、そらあッ」

猛然と大村武兵衛に浴せかけた。

道の上の雨だまりにしぶきが立つ、白明の光をきって、稲妻の如《ごと》く剣尖《けんさき》が舞う。丸

川紏が、腰の番《つがい》を斬り放されて顚倒し、大村武兵衛は真向を割られて即死。

——あまりに凄《すさ》まじい三九馬の腕を見て、残る七、八名の者はどっと崩れ散った。

刃の血ぶるいをして振返る三九馬。

見ると乗物を前に、孫七たちが谷沢曹太夫をとりつめていた。

「待て、曹太夫は拙者が貰った」

よびかけながら走りよる。孫七たちがさっと退くところへ踏み込んだ三九馬、

「曹太夫、このあいだは手出しをせぬといったが、考えてみると貴様には貸がある

——亡父壮兵衛の貸だ、貰うぞ——」

「——取れるか」

曹太夫が一歩ひらいて、

「誰か参れ、駕を……」

と叫ぶ。三九馬は大股に出て、

「えい」

と空打を入れる、誘われて曹太夫が合せようとする剣を、ぱっと下から払いあげた。

烈しい力に剣が飛んで、敷石の上に鏘《しょう》となる、あっ！と跳びのく曹太夫を、

「や、えい！」

踏みこんで胴へ一刀。悲鳴と共に踵《きびす》を返してのがれようとする背へ、もう一刀。たたらを踏んで曹太夫は雨水の道へ撞《どう》とのめり倒れた。

「深井氏――」

三九馬がほっと振り返る。

「かたじけない、かたじけない津村氏」

孫七はじめ曽根、渡辺の三名が駈け寄って来た。いずれも半分泣いている。三九馬はひややかに、よそをむいたまま、

「追手がかかるかも知れぬ、お乗物をかえて早くこの場をお立退きなされい」

「危急の場合、さらばお言葉に甘えて」

といったが、

「いずれ後日改めて御挨拶に……」

「拙者のことなど、どうでもよい、早くせぬと町役人も参るぞ」

「――さらば」

と会釈《えしやく》もそこそこに三人が駕へもどる。

三九馬は道の上下を見廻《みまわ》したが、谷沢一味の残りは、曹太夫討たると見ていち早くも逃げたか、四辺《あたり》には一人も姿を見せなかった。――静かに大剣へ拭いをかけて去ろ

うとすると、

「三九馬、お待ち……」

と駕の内から呼ぶ声がした。

二

三九馬は胸をつかれて思わず、二、三間走りよると、

「――姫……」

といって片膝をついた。

「会いたかった、よう来てくれましたね」

「勿体《もったい》のう――」

幼声《おさなごえ》のありありと残っている懐《なつか》しい声音《こわね》、三九馬はつきあげてくる涙をどうこらえようもなく、頭をたれて声をしのんだ。

「そなたの顔が見たい、でも――」

と言って引戸が明く、

「不二緒はこんな相になりました」

「…………」

見上げる眼にうつったのは、蒼白めた凄艶《せいえん》な顔に、盲いてうつろに光る双眸《そうぼう》であった。

──これが「太田原の耀夜姫《かぐやひめ》」といわれた人であろうか、あの奥庭で自分の髪へ椿《つばき》の花をさしてくれた、眩《まぶ》しいような美しい人の姿であろうか──？

「かなは健固か」

「は……三年以前にみまかりました──」

「──死んだ、かなが……」

不二緒の眉《まゆ》が痛ましく寄って、

「知らなかった」

と絞るような呻《うめ》きがもれた。

「──かなは死ぬ、不二緒は盲いになる。めぐりあわせほど慈悲の無いものはない……三九馬も苦労したであろうなあ」

「……う」

こみあげる嗚咽《おえつ》を嚙《か》み殺《ころ》して、三九馬はただ平伏するばかりだった。

「此処《ここ》で別れればもう会うまい、不二緒の顔をよく見てお置き──盲いたうえに、もう少しすればこの黒髪も切ってしまうのだよ」

「何と、何と仰せられます」

「竜之助さまの思召《おぼしめし》は有難いけれど、しょせん不仕合せに生れついた身の、もう浮世に生きる望みはありません。ここを立退いたうえは尼になって……一生仏に仕えます」

孫七が堪《たま》らずむせびあげる。

渡辺も曽根も。泣声をあげぬのはただ三九馬ひとりであった。

「——三九馬」

「は、はい」

「そなたは生きておくれ、不二緒の分まで生きておくれ。例え尼になっても、不二緒はそなたの出世を祈っています」

「かたじけのう」

止めあえぬ涙、三九馬はそこへ両手をついた。不二緒は見えぬ眼で、三九馬の姿をかいさぐるが如く、しばし蒼白めた面を雨にうたせていたが、やがて、

「さらばじゃ……もう会いませせぬ」

「姫——御健勝にて」

と振仰ぐ前へ、駕の引戸が内から静かに閉められた。

「やってたもれ」

というのと共に、初めて姫の哀切な啜泣《すすりな》きの声が、堰《せき》を切ったように聞えて来た。

――駕は再びあがった。

舁《かつ》ぐ者も舁がれる者も、見送る者も泣いている。三九馬は涙をぬぐい、ぬぐい、雨のなかへ遠のいて行く駕を、張り裂けるような気持で見送っていた。

「――先生」

駕が見えなくなった時、背後で忍びやかに呼ぶ者があった。

「お支度を持って参りました」

という声に、ようやく気付いて振返るとお紋であった。

――後を追って来たらしい、見ると雨合羽《あまがっぱ》を着た旅支度である。

「その支度は……」

「一緒にお伴れ下さいとは申しませぬ、わたしも旅に出て身のけがれを洗い落し、普通の女に、生れ更《かわ》ってきたいと思います」

「そうか」

三九馬は涙の乾かぬ面に、静かな微笑を浮べてうなずいた。

「その決心に変りがなくば連れ立って行こう」

「あの……お許し下さいますか」

「道は嶮《けわ》しいぞ」

「先生と御一緒なら」

「お紋――」

三九馬は莞爾《かんじ》としていった。

「二人は兄妹だ、これだけを忘れずに確《しつか》りと三九馬に頼っておれ。三九馬は一生妻はめとらぬ。その代りにはきっとおまえを立派な女にして見せるぞ――行こう」

「はい」

一生妻をめとらぬ訳は、七生《しちしよう》まで胸を去らぬ人の俤《おもかげ》があるのだ。

――東の海が白みかかって、雨はやむ気色なく降りしきっている。


（「講談雑誌」昭和十一年九月号）

牡丹《ぼたん》花譜

一

「——もう止《よ》そう」

「未《ま》だ、未だです、えいっ」

「あ！」

ぱちんと良い音がした。

「痛い、——」

「弱いことを、や！」

「止しだと云《い》ったら、あ、危い」

新緑の下枝を押分けて、一人の若者が木剣を片手に草の窪地《くぼち》へ逃出してくる、その後から紫色の単衣《ひとえ》の袖《そで》を背に絞り、馬乗袴《うまのりばかま》を着けた美しい乙女が、稽古《けいこ》用の樫《かし》の薙刀《なぎなた》を持って現われた。

「お逃げになるなんて弱いお従兄《にい》さま」

「おれが弱いより奈々《なな》の方が乱暴すぎるんだ。ああ暑い、——こんな汗だ」

「奈々もよ、ほら……」

乙女はそう云いながら、単衣の衿《えり》を煽《あお》って風を入れた。無造作に寛《くつろ》げた衿元から、しっとりと汗ばんだ桃色の肌《はだ》が、可愛《かわい》い胸のふくらみを匂《にお》うばかりに覗《のぞ》かせている、――若者は眩《まぶ》しそうに外向《そむ》いて草の上へ坐《すわ》った。

「ここへ来てお坐りよ」

「厭《いや》、もっとお稽古をしなくては厭」

「ひと休みしてからさ、それに――少し話もあるんだ」

乙女は薙刀を措《お》いて、しなやかな体を乱暴にそこへ投出した。

その窪地は周囲を樹立《こだち》で取囲まれ、外からは見ることのできない隠れ家《が》のような場所であった。みっしり重なり合った木々の緑や、毛氈《もうせん》を敷いたような若草が、五月の陽《ひ》を吸って噎《む》せるように匂っている、――乙女は両手を後へつき、絖《ぬめ》のように艶《つや》やかな咽頸《のどくび》を露《あら》わにしながら、ぐっと身を仰反《のけぞ》らして、

「ああ良い気持」

と叫ぶように云った。

「若葉の匂《におい》ってなんだか躰《からだ》を擽《くすぐ》られるようねえ、こうしていると独りでに、声いっぱい笑いたくなってくるわ」

「ねえ奈々、――話があるんだよ」

「話なんて詰らないわ、それより体が痺《しび》れるくらい疲れることないかしら」

乙女の眸子《ひとみ》は妖《あや》しく光った。

「疲れて疲れて身動きもできなくなるような荒稽古がしたいわ。奈々の体って変ねえ、幾ら暴れたってすこしも草臥《くたび》れないのですもの、考えるとむずむずするわ」

「そんな事を云うと笑われるよ、奈々はもう十八にもなったのじゃないか、もっと女らしくしなくちゃ駄目《だめ》だ」

「厭、厭、女らしくなんて大嫌《だいきら》い」

乙女はそう云いながら、草を捲《むし》って若者の顔へ投げつけた。

「こいつ、やるか」

「ほほほ――草仏《くさぼとけ》！」

と云って逃げようとするのを、若者はすばやく起上って肩を摑《つか》んだ、乙女の足許《あしもと》がよろめいた、若者は逞《たくま》しい腕で乙女の体を抱寄せた。薄い清絹《すずし》の単衣を透《とお》して、燃えるような血の温みが伝わり、汗ばんだ肌の香が嬌《なま》めかしく鼻をうった。――一瞬、若者の腕の中で、乙女の体がぐったりと力を失うように思われたが、しかし次の刹那《せつな》には、

「――厭！」

と鋭く叫んで、若者の腕から巧みにすり脱け、低く垂れた樹立の下枝の蔭《かげ》へ、若い牝鹿《めじか》のように走込んでいた。

若者は追おうとしたが、すぐ思い止《とど》まって、元の場所へ仰反《あおのけ》に倒れ、

「駄目だ、奈々はおれを嫌っている」

と苦しげに呻《うめ》いた。

ここは仙台伊達《だて》領、阿武隈《あぶくま》川の北岸にある岩沼の町はずれ、九里の森の中である。

――乙女は岩沼の豪家黒上《くろかみ》家の奈々と云って今年十八、若者は郷士城田鋏兵衛《しろたてつべえ》の二男で常次郎《つねじろう》と云う、年は二十歳で奈々とは従兄妹《いとこ》同志になっていた。

奈々は早く父母を失い、叔父鋏兵衛の後見で育ってきたが、幼い頃《ころ》から武張った事が好きで、小太刀や薙刀をよく遣うし、馬にかけては男も及ばぬ腕を持っていた。

――黒上家の広大な屋敷内には、近郷でも有名な牡丹《ぼたん》畑があって、毎年初夏の頃には千余株の花が撩乱《りょうらん》と咲き誇るのだが、奈々の美しさはその花にも勝るとて、

「黒上の牡丹姫」

と呼ばれているくらいだった。

常次郎が美しい従妹《いとこ》の姿に胸を焦《こ》がしはじめたのは前年の夏頃からであった。生命ほどあやしきはない、それまでは相見ても身を触れても、そんな気持はかつてなかっ

たのに、ひとたび恋の想《おもい》が芽《きざ》してからは、黒曜石《こくようせき》のような奈々の眸子や、韻の深い声や、折にふれて匂う肌の香などが……まるで初めて見るように生々と新しく、その度に常次郎の心は悩ましい歓《よろこ》びと苦しさとに顫《ふる》えるのだった。——彼は日毎《ひごと》につのってゆく胸の想を、どうかして相手に訴えたいと思った、しかし奈々の心は固い蕾《つぼみ》のように、確《しっか》りと閉じてひらかない、手に摑んだと思うといつかするりと身を躱《かわ》していた。

「——今日こそは」

と思って馬を列《つら》ねてきたのだが、森の中で薙刀の稽古をする他《ほか》にはどうしても奈々は彼の側《そば》へ寄ろうとはしないのだ。

「嫌っているんだ、奈々は、——」

燃えるような息吹《いぶき》と共に常次郎は呟《つぶや》いた。

二

「お従兄さま、早く来て！」

樹立の向うから奈々の叫ぶ声がした。

「早く、早く！」

「——どうしたんだ」

常次郎が起上ってゆくと、奈々は繋《つな》いであった愛馬へ跳び乗って、

「あすこで斬合《きりあ》いをやっているんです」

「なに斬合い？」

「一人を五人で取囲んでいます、早く来てください！」

そう云い捨てると、

「あ、危いお待ち」

と呼止める暇もなく、奈々は馬腹《ばふく》を蹴《け》ってだあっと丘を駈下《かけお》りていった。

丘の下では、まだうら若い白面の青年が、五人の荒武者に取巻かれ閃《ひら》めく白刃《はくじん》の下にかろうじて身を支えているところだった。――奈々は馬を煽って駆けつけると、

「大勢で一人を取籠《とりこ》めるとは卑怯《ひきよう》」

呼びながら争闘の中へ馬を乗入れた。荒武者たちは不意を打たれて思わず左右へひらいたが、見ると相手はか弱い乙女なので、

「ええ、何をする、退《ど》きおれ」

「小娘の分限で差出た事をするな」

「邪魔すると汝《なんじ》も共に斬捨てるぞ」

口々に喚《わめ》きながら猛然と詰寄った。

奈々は一瞥《いちべつ》のうちに、白面の青年の弱々しい眼《め》が、縋《すが》るように自分を見上げるのを見た、その刹那に彼女の心は暴々《あらあら》しく決った。——奈々は小脇《こわき》の薙刀を執り直すと、踏込んできた一人の剣を戞《かつ》！とばかりにはね上げ、返しざま右手の男の横面へ烈《はげ》しい一撃をくれた。

「あ、痛つつ」

「やりおったな」

意外な早業に、はっとなる刹那。馬首を回《かえ》すと左手の一人が、正に斬込もうとする脇壺《わきつぼ》へ、これまた骨に徹する打を入れた。

「がっ！」

横ざまにのめる、

「——くそっ」

「斬ってしまえ！」

と殺気だつ端へ、ぱっと馬を跳躍させる、驚いて散る隙《すき》、奈々は青年の方へ片手を差延べて、

「早くお乗りなさい」

と叫んだ、実にみごとな動作である。青年が云われるままに跳び着いてくるのを、

ひっ抱えるようにして諸角《もろがく》をいれる、

「うぬ、逃げるか」

「待て！」

と盛り返したが、既に疾《はや》く馬は囲《かこみ》を突破していた、その時ようやく常次郎が馬を煽ってきた、奈々はそれを見ると、

「お従兄さま、殿《しんがり》をお願い！」

と叫んで疾風のように南へ駆去った。

道へは出ずに、草地をそのまま二十丁あまり駆ってゆくと、槙《まき》の生垣《いけがき》を取廻《とりまわ》した黒上家の、広い屋敷裏へ着いた。——そのまま乗入れた処《ところ》は牡丹畑で、すでにふくらみかかった蕾が、輝かしい五月の日光を浴びて、めざめるような彩色を見せていた。

奈々は青年と共に馬から下りて、

「わたくしの家でございます」

と云った。

「そう、——」

青年は軽く頷《うなず》き、

「危いところを免《まぬか》れて、過分でした」

と応《こた》えて四辺《あたり》を見廻し、「ずいぶん沢山の牡丹ですね、みなお許《もと》の丹精ですか」

「――はい」

「満開の期《とき》はさぞ見事でしょう」

おっとりとした態度だった。――生命を救われたのに、過分でしたという挨拶《あいさつ》は珍しい、半ば呆《あき》れて見上げた奈々は、青年の相貌《そうぼう》が女のように弱々としていながら、高い額、濃い眉《まゆ》のどこやらに、冒《おか》し難《がた》い高貴な威の閃めくのを感じた。

青年はたったいま危難から遁《のが》れてきた人とは思えぬくらい、落着いた静かな眼で奈々を見かえり、

「お許の名は何と云いますか」

「はい、奈々と申します」

「奈々、――優しい良い名ですね。そしてそんな優しい名を持っているのにずいぶん強い」

「まあ……」

青年の美しい眸子でじっと見られて、奈々は全身の血が一時に顔へ集るような羞《はず》かしさを覚えた。――青年は愕《おどろ》いたような眼で、しばらく奈々の面を見まもっていたが、やがてふいと外向き、

「牡丹をひと枝切ってください」

と云った。――しみ入るように淋《さび》しい声であった。

三

奈々の一番好きな「春雪」という牡丹が、そこからは遠い母屋《おもや》の前の方にある、奈々は走っていって、咲きかかったひと枝を切ってきた、――戻《もど》ってみると、常次郎に導かれてきたらしい七八名の立派な騎馬武者が、かの青年を守護するように取巻き、今しも連銭蘆毛《れんせんあしげ》のみごとな馬に援《たす》け乗せているところだった。

奈々がはっとして立停《たちど》まると、青年は馬上から手を差出して、

「これへ――」

と云った。騎馬武者たちが振返って見る中を、奈々は近寄っていって花を渡した。

「美しい花だ、過分に思います」

「――恐れ入りまする」

「また、会いましょう」

奈々は思い切って振仰いだ。青年は淋しげな、むしろ悲しげでさえある眼《まな》ざしで、じっと馬上から見下ろした。そのとき奈々は、不意に裂けるような胸の痛みを感じた。

青年は騎馬武者たちに護《まも》られて去ったが、奈々は常次郎に呼びかけられるまで、放心したようにそこへ立尽していた。

「おまえの乱暴にも呆れるぞ、奈々」

「――お従兄さま」

奈々は常次郎を遮《さえぎ》って云った。

「あの方はどなたですの」

「知らない、教えなかったのだ」

常次郎は不機嫌《ふきげん》に答えた、「礼儀を知らない奴等《やつら》だ、誰《だれ》だと訊《き》いたらその方などの知る事ではないと云いおった」

「よほど身分の高いお方なのね」

「なあに、たかだか三千石か五千石の城代の息子だろうさ。――遠乗りに出て独り駈抜けたところへ、あの男たちが喧嘩《けんか》を仕掛けたのだそうだ、五人とも捕えられていったよ」

奈々は半ばうわの空で聞きながら、心の内ではあの青年の云った、

――また会いましょう。

という声音を繰返していた。

この付近の城代、館主《たてぬし》と云えば、亘理《わたり》郡の伊達安房《だてあわ》か、柴田の館主本多伊賀《ほんだいが》、遠くは白石城の片倉《かたくら》家、伊具郡角田《かくだ》の石川駿河《いしかわするが》など、いずれも錚々《そうそう》たる伊達家の重臣である、――せめて名だけでも聞いていたら、どこの若様か分ったであろうに。そう思うと奈々は、あの青年の前に立った自分が、日頃に似ず臆《おく》れていたことに気付いて驚いた。

その明くる日、例の通り常次郎が遠乗の誘いにくると、奈々はもの憂《う》げな様子で、

「――今日は出たくありません」

と答えた。

「どうしたのさ、具合でも悪いのか」

「――いいえ、ただ……」

顔色も冴《さ》えないし、眼は暗くうるんでいるし、体の線にも妙に嫋々《なよなよ》としたところが現われている、常次郎は初め病気かと思った、しかしすぐにそうでないことを感じた。

――病気ではない、もっと別な、もっと悪いことだ。

恋する者の敏感である。病気よりもっと悪いもの、それが何であるかは分らないが、彼女の乾いた唇《くちびる》や、けだるそうな身振りや、遠くを見ている放心したような眼ざしは、捉《とら》え難《がた》なく邪々《まがまが》しい翳《かげ》に包まれていた。

「ねえ奈々、いったいどうしたのだ、おまえのそんな様子って初めてではないか、どうしたのか云ってごらん」

「お願いですから黙っていてください」

奈々は眉をひそめて云った、「――でなかったらお帰りになってくださいまし」

「何をそんなに怒るのさ、おれは別になにも……」

「――」

奈々は厭《いと》わしそうに外向いた。――常次郎はその横顔に氷のような冷たさを見ると、もう言葉を続ける気も挫《くじ》け、悄然《しょうぜん》と眼を伏せながら去っていった。

奈々は終日牡丹畑で暮した。

生れて以来かつて知らなかった悩み、胸いっぱいに脹《ふく》れあがってくる情熱、鳥の声も、風に戦《そよ》ぐ木の葉の音も、みんなあの青年の声音に聞える。花を見ても雲を見ても、眼を遮るものはあの青年の面影《おもかげ》なのだ。

「――あの方はきっと又いらっしゃる、きっときっといらっしゃる」

蜜《みつ》のように甘い切なさのなかで、奈々は同じ言葉を繰返し呟くのであった。

青年は約束通りやってきた。それはあの日から七日余りたったある黄昏《たそがれ》どきであったが、奈々が牡丹畑のはずれにある亭《ちん》の中で、暮靄《ぼあい》の濃くなる花園を恍惚《こうこつ》と見ていたとき、後に静かな人の跫音《あしおと》を聞いた。振返ると青年がこっちへやってくる。

「——まあ！」

奈々は弾《はじ》かれたように起上った、——青年は白いしなやかな手に鞭《むち》を持ち、細面《ほそおもて》の寂しい頬《ほお》をぽっと染めて、

「すぐ帰らなければならない」

そう云いながら近寄ってきた。

四

本当に何を話す間もなかった。——亭の後は四五間はなれて生垣になっている、その向うからしきりと、馬の嘶《いなな》きや、憚《はばか》るような人の咳払《せきばら》いが聞えてきた。

「九里の森まで遠乗りに来たのだけれど、途中で暇取ったのでもう帰る刻限になってしまったのです。——ああ、僅《わず》かの間に牡丹がずいぶん咲いたようですね」

「……また、お切りいたしましょうか」

「先日のは良い花でした、あんな気高い白さは初めて見ました」

「もう散りまして、——？」

「いや未だ咲いています」

「強い花でございますから、……咲きしより散りはつるまで見しほどに花のもとにて二十日へにけり、と云う歌もございますわね」

「法性寺《ほっしょうじ》の忠通《ただみち》ですね、たしか」

「貴方《あなた》さまも遊ばしますの――？」

「いや……」

青年は微《かす》かに頭を振った。――黄昏はいよいよ濃くなって、牡丹の葉に静かな夕風がたちはじめた。青年はほっと溜息《ためいき》をついて、

「ああ静かだなあ。こんな処で、歌書でも見ながら、人知れず一生を送れたらどんなによいだろう」

沁々《しみじみ》とした、胸底から滲《にじ》み出るような呟きだった。

「何か御心配事でもございますの？」

「絶えずありますよ」

青年は素直に頷いた。

「生れてこの方、一日として心の休まる暇はなかった。表に出ても奥へ入っても、何十何百という人の眼が、片時も放さず私を取巻いている、私はもう四つ五つの時分から、その沢山な人の眼を読むことを覚えた、――殊《こと》に私を憎んでいる者の眼つきは、

今でも忘れることができない」

「そんな、若様を憎むなんてそんな……」

我事のように慌《あわ》てて打消す乙女の顔を、青年は寂しげに微笑しながら見やった。

「憎むくらいなら未だよい、私はこれまで何度も殺されかかった事さえあります」

「――嘘《うそ》、嘘ですわ」

「貴女《あなた》は忘れましたか、先日の事を」

青年は奈々の答えを待たずに、ふいと立上って右手の鞭を神経質に撓《しな》わせながら、

「しかし。そう――貴女の云う通り、私を憎むと云っては当らないかも知れない。私がもし足軽か平武士ででもあったら、誰の憎みも受けずにいられたに違いない、彼等が憎むのはこの私ではなくて、私の地位なのだ、それは私にも分っている、だが……私は自分でこの地位を望んだのではない、私はむしろ僧にでもなって遁世《とんせい》の暮しをしたいとさえ思っているのです、けれど私にはその自由は許されていない、好むと好まぬとにかかわらず、私はこの位置に立って生涯《しょうがい》を過さなければならないのです。――幾十幾百の憎しみの眼に瞶《みつ》められ、いつ殺されるとも知れぬ不安に怯《おび》えながら、そして……誰一人としてこの心細さを訴える人もなく」

青年は突然、唇を慄《ふる》わせ、鞭で空を撃ちながら叫んだ。

「なんのために、なんのために私はこんな苦しい立場に立たせられたのだ、私にどんな罪があるのだ！」

「若様、――」

青年は奈々の哀願するような声を聞くと、自分の昂奮《こうふん》したことを恥じるように苦笑し、弱々しく肩を揺上《ゆりあ》げて云った。

「許してください、誰にも聞いてもらえない苦しさを、つい貴女に訴えたくなったのです、――でも、これで幾らか心が軽くなりました」

「――奈々にはお言葉の意味がよく分りません、けれどそんなにお辛いお身上《みのうえ》とは少しも存じませんでした。……もしできることなら、わたくしの命に代えても――」

「そう思ってくれますか」

青年は燃えるような眸子で、熱く熱く乙女の眼を覓《もと》めた。奈々は自分の全身が、青年の眸子の方へ恐ろしい力で惹《ひ》き着けられるのを感じた、――しかしその時、生垣の向うから咳払いの声が聞え、青年ははっとして身を離した。

「もう、もう帰らなくては」

「若様、――」

奈々は縋《すが》るようにして云った、

「どうぞお名前をお聞かせくださいませ」

「それは訊かないでください」

「いいえどうぞ、ぜひ——ねえ」

青年は唇を嚙《か》んで奈々の眼を見たが、やがて静かに頷いて云った。

「では、先日の牡丹をひと枝くださいな」

「はい、——」

奈々は小走りに畑の中へ去ったが、待つほどもなく「春雪」のひと枝を切って戻ってきた。青年はそれを鞭と一緒に持つと、それが特徴の寂しい声で云った、

「それでは、明かしたくないのだが云います、その代りこの場限り忘れてください、——貴女にだけは普通の人間で話がしたいのです」

「——はい」

「私は、陸奥守《むつのかみ》綱村《つなむら》です」

「…………」

奈々は愕然《がくぜん》と立ちすくんだ。

五

寛文年間の最も大きな事件として、「伊達騒動」の評判を聞かぬ者はあるまい、まして其の中心人物たる幼名亀千代《かめちよ》、即《すなわ》ち綱村の名は奈々もかねてからよく知っていた。

「——あれが綱村さまか、あの淋しい眼をした方が、あんな悲しそうな御顔をした方が六十余万石の御領主さまか」

奈々は夢見るように呟《つぶや》いた。

そうだ、それでこそよく分る、あの方の淋しげな眼、頼りなげな悲しい顔、あれはあの恐ろしい騒動の傷手《いたで》なのだ。噂《うわさ》に依《よ》ると原田甲斐《はらだかい》一味のために、幾度か毒殺されようとした事さえあると云う、現にあの方自身、

——私はこれまで、何度も殺されかかったことがある。

と仰せられた。

しかも、しかも、——寛文十一年（一六七一年）、幕府の裁決に依って原田甲斐一味が罪せられ、騒動はひとまず落着したようなものの、世上伝うるところに依れば、その後も原田甲斐一味の残徒は処々に隠れ、今なお、綱村の首を狙《ねら》っていると云う。

——その風評を真とすれば、

「そうだ、そうすると先日、綱村さまを取詰めていた五人の男も、噂の通り原田一味の残党に違いない」

すべてが符を合せるように分ってきた。

「お可哀《かわい》そうな綱村さま」

奈々は胸も裂けんばかりに泣いたけれどその涙は、若き領主の痛ましい身上を悲しむだけではなかった。

——十八にして乙女の胸に初めて萌《も》えた恋の相手が、余りに身分の違う高貴な人であると知って、はかなく散るべき自分の哀《かな》しい恋のための涙でもあったのだ。

「お可哀そうな綱村さま」

奈々は何度も呟いた、

「——そして、可哀そうな奈々……」

彼女の様子は驚くほど変った。

その日から後、奈々は来る日も来る日も引籠っていた。馬は繋《つな》がれたきりだし、木剣も薙刀《なぎなた》も顧みられなくなった。顔色は蒼《あお》ざめるばかりである、虚《うつ》ろな眼はいつもどこかしら遠い彼方《かなた》を見ている、そして艶《つや》を喪《うしな》った唇からもれるのは、命を削るような溜息であった。

かくて十日あまりたった。

五月二十六日の暮れ方のことである。——今日もまた牡丹畑の亭で、奈々が惘然《ぼうぜん》と物思いに耽《ふけ》っていた時、

「奈々、話をしてもよいかい」

遠慮がちな声がするので、振返ると従兄の常次郎が立っていた。

「お従兄《にい》さまでしたの？」

「奈々——」

常次郎も蒼ざめた顔をしていた。そしてその紙のように生気のない顔を外向《そむ》けたまま低い声で云った。

「常次郎はね、二三日うちに江戸へ立つことにしたよ」

「——」

思いがけぬ言葉だった、奈々は自分の耳を疑うように従兄の顔を窺《うかが》った。常次郎は外向いたまま、

「これは云うべき事でないかも知れない、云うのは未練かも知れない、けれどこれでもう一生会えなくなると思うと、やはり云わずにいられないのだ。奈々……常次郎はね」

「お従兄さま！」

「いや、云わせてくれ、常次郎はおまえを想《おも》っていた、この半年あまりはこの一言を云いたいために、どんなに苦しんだか知れない、しかし……もうおれは諦《あきら》めた」

奈々はもの問いたげに眼をあげた。常次郎はそれをじっと眙《みつ》め、無言の問いに答える如《ごと》く頷きながら云った。

「そうだよ、おれは見てしまったのだ」

「――」

「おれはもっと早く察すべきだった。おまえの様子が変ったのは、九里の森外であの人を救った日からだった。――それを、十日ほどまえにここで、二人が会っているのをみつけた時に初めて気付いたのだ」

「――お従兄さま」

奈々は耐えかねて、わっと泣きながら常次郎の胸へ縋《すが》りついた。

「赦《ゆる》して……赦して――」

「いいんだ、いいんだよ奈々」

常次郎は従妹の背へ優しく手を廻《まわ》した。

「誰が悪いのでもない、運命《めぐりあわせ》なんだ、みんな運命なんだ、おれは誰をも怨《うら》みはしない。

嘘じゃない。あの人がどんな身分かおれは知らないが、おまえなら決して選《えら》み違いはないと思う、常次郎は安心して江戸へ行く、——そして二人の仕合せを祈っているよ」

「待って、待って、お従兄さま」

「さようなら、立つ時には寄らない、仕合せにお暮らし」

咽《むせ》ぶように云うと、奈々の手を振切って、走るように常次郎は去っていった。——奈々は四五間追って走ったが、力尽きてばったり牡丹畑の中へ倒れると、そのまま土にうち伏して泣き沈んだ。

六

常次郎は「運命《めぐりあわせ》だ」と云った、

それにしても何という無慈悲な運命であろう、九里の森で綱村と会うまえに、常次郎が心を打明けていたら、こんな悲しいことにはならなかったであろう。——奈々にしても、常次郎の気持がまるで分らなかった訳ではなかった、朧《おぼ》ろ気にはそれと察した事もある、しかし蕾《つぼみ》かたき乙女の心は、もっと強く、うちつけに明かされるのを待っていたのだ。

「なぜ、なぜお従兄さまはもっと早く仰有《おつしや》ってくださらなかったのです。——お従兄さまもお苦しいでしょう、けれど……奈々も苦しいのです。貴方は御存じないでしょうが、仕合せに暮らせと仰有ったあの人は、奈々には手も届かぬ御身分の方でした」

どのくらいの刻《とき》がたったであろう。

小さい胸ひとつには包みきれぬ悲しさに、泣き尽すだけ泣き尽した奈々は、——ふと、もうさっきからどこか近くで、しきりに人の話し声のしていることに気付いた。

——誰か牡丹畑の中にいる。

取乱した様を見られてはならぬと、静かに身を起そうとした。その時、——ひどく抑えつけるような声音で、

「——なに、綱村侯が？」

と云うのを耳にした。

さっきまで奈々のいた亭《ちん》の中に、五人の男が向合って掛けている、——正面にいるのは常次郎の父で奈々の叔父城田《しろた》銕兵衛《てつべえ》だ。それに対して四人、浪人態《てい》の武士の端から原田《はらだ》市九郎《いちくろう》、蓬谷伝蔵《よもぎたにでんぞう》、村越曹次《むらこしそうじ》、宮内松之丞《みやうちまつのじよう》——いずれも五年前までは伊達家に仕え、相当の禄《ろく》を食《は》んだ武士であったが、騒動の時原田甲斐の罪に連座して放逐された者たちである。

「噂には聞かぬでもない、しかし綱村侯が嘉心様《かしん》（綱村の父綱宗《つなむね》のこと）の御子でないと云うのは、それでは事実なのか」

「云う迄《まで》もない」

原田市九郎が答えた。

「御令室は将軍家御養女として入輿《にゅうよ》になったのだが、西の丸にいるあいだは将軍家御側室であった。これは江戸表で誰知らぬ者なき事実だ、そして――御入輿になると半年余りして亀千代御出産だ」

「うむ、――」

「嘉心様には、かねて御令室が将軍家御側室であった事を御承知だから、御入輿になってもかつて奥へお渡りはなかった――それは御側《おそば》に仕えていた拙者が存じておる」

「あれだけ英明の嘉心様が、なぜ廓通《くるわがよ》いの放埒《ほうらつ》を遊ばしたか、――それを思合せてこそ合点が参るであろう」

側から蓬谷伝蔵が口を挿《はさ》んだ、「――亀千代を世継にしては伊達の血統が絶えるのだ。原田甲斐ほどの器量人が、命を抛《なげう》って事を計ったのはこのためなのだ。綱村は斬らねばならぬ、このまま置けばお家は徳川家の血統になってしまうのだ」

「城田氏《うじ》――」

原田市九郎は膝《ひざ》を打って、「明日、綱村侯は参覲《さんきん》のため出府する、第一日の宿は貴公の屋敷だ、——今日まで途上を狙《ねら》ったが、警護に妨げられていつも失敗、殊に先日は九里の森で首尾よく取詰めながら、一歩の違いで仕損い、あまつさえ五名の同志は捕えられた」

「今度出府すれば、かねての御縁組が取結ばれるに違いない、すれば万事休すだ」

「どうでも明日は遁《のが》せぬ場合、泊りを待って手引を頼む」

「貴公の家は郷士ながら、政宗公以来の恩顧がある筈、我々のためにとは云わぬ、伊達家のために手引をしてくれ、——頼む」

はたと声が絶えた。銕兵衛は意志の強そうな眼で、じっと空を睨《にら》んだまま、ややしばらく黙っていたが、——やがて呻《うめ》くように云った。

「拙者は、亡《な》き原田氏の為人《ひととなり》をよく存じておる、したがって今日まで、幕府の裁決がどうであろうとかの仁《じん》の誠忠を疑った事はない、——しかし各々《おのおの》から仔細《しさい》を聞いて、始めて甲斐殿の非常の苦衷が分った、……如何《いか》にもお手引申そう」

「おお御承引か——かたじけない」

「かたじけない、かたじけない！」

四名はつきあげるような声で云った。

「しかし、綱村侯の御命をお縮め申すとして、お家に瑕《きず》のつくような事はあるまいな」

「それは既に手配ができておる、先年裁決の大勢を制した板倉重矩《いたくらしげのり》は既に死んだ、今度こそ酒井《さかい》侯の御威勢が物を言うだろう、御内意もとっくに伺ってあるのだ」

「よし、それを聞いて安堵《あんど》した、みごと明夜こそ御本望せられい」

その時、牡丹畑の牡丹が、微《かす》かに戦《そよ》いだ、――風が渡ったのであろうか。

七

明くる日の、既に黄昏近く。

岩沼の本宿にある城田家は、その日参覲のため出府する綱村侯の第一夜の宿を勤めるために、あらゆる準備が調えられていた。――もう行列の見える時分なのだが、道次に故障でもあったか、どうやら少々遅着の様子である。

八文字に開かれた門には、定紋入りの高張《たかはり》が掲げられ、棒を持った警衛の者たちが、落着かぬ様子で幕の外に右往左往している。こうした表の光景に反して、――この家の奥のひと間では、行列の到着を待つ別の人たちがいた。

すでに暗くなった部屋の中で、原田市九郎はじめ蓬谷、宮内、村越の四名、それに城田鋏兵衛を加えて五名が、しめやかに別盃《べっぱい》を交している。

「それでは寝所に拙者」

原田市九郎が言葉を継いだ、「――蓬谷氏も拙者と共にお願い申したい。宮内、村越の御両所は宿直《とのい》の備え、起《た》つ者があったら構わず仕止める事、遠慮は無用でござる」

「――承知仕《つかまつ》った」

「合図は八つ半（午前三時）、城田氏が厨口《くりやぐち》へ火をかけられるゆえ、警護の者が騒いだ隙《すき》に決行仕ろう」

その部屋の隅《すみ》に屏風《びょうぶ》が立廻してあった、――その屏風の蔭《かげ》から影のように、音もなくすべり出た者がある、黒い覆面をして、右手に小薙刀を提げていた。

「首尾よく参ったら他人に構わず、身を以《も》って遁れる事、落合う場所は」

そう云いかけた刹那《せつな》！　部屋の中の夕闇《ゆうやみ》を截《き》ってぎらりと光が飛んだ。ばっという無気味な音、

「がっ、あうーっ」

喉《のど》を鳴らして市九郎が横ざまに倒れた。全く不意のことなので四人とも気を抜かれたが、一瞬あっと眼を瞠《みは》る、――倒れた市九郎の頸根《くびね》から凄《すさま》じく血が噴出るのと、そ

れを見て始めて事態を知った四人が、

「——曲者《くせもの》！」

と仰天して刀を執るのと同時だった。——しかし怪しい人物はそれより疾く、大きく踏込みざま蓬谷伝蔵の右手を二の腕から斬放し、返しざまに宮内松之丞の横面を薙いでいた。

「あっ！」

「あっ!!」

と二人が倒れる、同時に村越曹次が、

「くそっ！」

と抜打ちに一刀、曲者の脾腹《ひばら》へ斬込む、刹那！ ほとんど同じ刹那に曲者の薙刀も村越曹次の真向を割りつけていた。——だあっと仰《のけ》ざまにのめる曹次、曲者も脾腹の重傷に堪《たま》らず、

「う、うーむ」

と呻きながら膝をついた。

「や！」

脇から打込もうとしていた銕兵衛は、曲者の呻きを聞き、袖口からこぼれる紅色の

女衣装を初めてみつけると、愕然。――刀を措《お》いて、走寄り、覆面を剝《は》いでみた、

「あ、あ、其方《そち》は奈々……」

奈々であった。――余りの事に茫然《ぼうぜん》となる、そこへ、ただならぬ物音を聞きつけて常次郎が走りこんできた。

「父上、――父上！」

一歩入ったが暗い、暗い中にぷんと鼻を衝《つ》く血の臭《におい》だ。

「父上、何事でございます。父上」

「――常次郎……ここだ」

銕兵衛の喘《あえ》ぐような声がした。――眼をとめて見ると哀れ、父の手に抱かれて奈々の、気息奄々《えんえん》たる姿――。四辺《あたり》を見れば血の海に、四人の手負いが倒れている。

「どうした、どうした事です」

「――お、お従兄さま」

奈々が呼んだ。

「奈々、常次郎だ、おれだ」

常次郎は狂ったように、父の手から従妹《いもうと》を抱取って叫んだ。――奈々はしげしげと常次郎の顔を見上げながら、

「お従兄さま、叔父さまに、お詫《わ》びを申上げてくださいませ、奈々のした事は、間違っていたかも知れません、けれど、――けれど、奈々は、綱村さまの殺されるのを、黙って見てはいられませんでした……あの方は殺されるような悪い事は、これほどもしてはいないのです、――あの方には何の罪もないのです。どんな事情があろうと、あんなお気の毒な、お可哀そうな方を殺すなんて、無道です、無慈悲です」

「――奈々！」

常次郎は押拉《おしひし》がれた声で云った。

「おまえ、おまえ――それでは、あの人は綱村侯だったのか」

「ええ、陸奥守綱村さまでした」

そう云って奈々はがくりと崩折れた。

八

本陣の城田家に不浄の事があったというので、綱村の宿所は急に牡丹《ぼたん》屋敷、即ち黒上家に変更された。

綱村はそれを聞いて、そこが奈々の家である事をすぐに気付いた。出府のまえにひと眼会いたいと思っていたのだが、うまい機会がなくて来られなかった。明日出立《しゅったつ》すれば二年のあいだ会うことはできない。

——会って行きたいな。

そう思ったが、鋭い眼で見まもっている老臣たちのことを考えると、とても云い出す気はしなかった。——しかし晩餐《ばんさん》の後で寝所へ入ると、床に活《い》けてある牡丹をみつけて、

——そうだ。

と賢《さか》しくも一案を思いつき、

「この牡丹は赤すぎて眼触りだ、白があったら活け換えるように申せ」

と命じた。

花を活け換えるとすれば、当然この家の娘がするであろう、そう思ったのである。しかしその予想は外れた、畏《かしこま》って退《さが》った近習の若侍はしばらくすると自分で、白牡丹を活けた花籠《はなかご》を捧《ささ》げてきた、そして前の花と換えて去った。

それ以上、もう思案はなかった。——綱村は満ち足りぬ思いで寝《しん》についた。

乳色の濃い霧が、早朝の空いっぱいに渦《うず》を巻いて流れている、——

黒上家の門前には、すでに出立の供揃《ともぞろ》えがすっかりできて、街並には一刻も前から、

綱村の行列を見送ろうとする町人や農夫たちが土下座のまま待兼ねていた。

午前六時《むつ》が鳴った、玄関口の人々が一斉《いっせい》に平伏して、旅装の綱村が現われた。

——奈々は？

綱村は式台のところで、振返ったが、すぐ思い切ったように駕《かご》へ身を入れた。——と、それを待兼ねたように、玄関脇から奈々が、常次郎に抱かれるようにして現われた。

「ああ奈々——」

口まで出たが抑えた。

「申上げます」

駕脇の伊達式部《だてしきぶ》が式台して、「当家の娘、奈々と申す者、御旅のお慰めに丹精の牡丹を献上仕りたいと申しまする」

「——許す、近う」

頷いて綱村は奈々を見た。

奈々は化粧をしていた、生れて十八年、かつて手にしたこともない化粧を、それも厚めに装っていた。——でなかったら、彼女の顔は死人のように見えたであろう。

「許す、近う」

綱村はもう一度云った。云いながら無量の思いを籠《こ》めて奈々の顔を覓《みつ》めた、奈々は常次郎に援《たす》けられながら静かにひと膝進み、満身の力を絞って————微かに笑顔を作った。

「いや、卑《いや》しき身をもちまして、御前を汚し、恐れ入りまする」

「——」

「これは、わたくしの、丹精いたしました牡丹、名を『春雪』と申しまする、御旅路のお慰めに……」

それだけ云うのが精いっぱいだった。

「——過分じゃ」

綱村は、奈々が慄《ふる》える手で捧げる牡丹を取ると、眼《まな》ざしだけに万言の意を籠めて云った。

「美しい花じゃな、江戸へ着くまで散らぬよういたすであろう」

「——かたじけのう……」

喘ぐように云って低頭《おじぎ》すると、もう奈々は再び顔を挙げることができなかった。

——綱村はしかし、会ったことの悦しさと、別れることの名残り惜しさがいっぱいで、それほど変っている奈々の様子には気付かなかったのである。

「帰国の折もこの花を見せよ」

そう云った時、駕の戸は伊達式部の手で静かに閉された。

「――お立ち」

駕が上った。

「奈々、お駕が行くぞ」

常次郎は平伏したまま奈々の耳へ囁《ささや》いた。奈々は必死の力を振《ふる》って面をあげた。

「奈々、見えるか」

「――お従兄さま」

奈々はもつれる舌で云った。

「あの方は、もういらしった、――お駕が遠くなる、お駕が……」

云いたいことの千万をもちながらひと言も許されず、――生きて再び会うことのない、別れだった。奈々の胸を引裂く悲しさがどんなものか常次郎だけにはよく分った。

「御武運長久に……」

そう呟くのを最期《さいご》に、奈々は従兄の腕の中へ崩折れた。――その夜を待たず、奈々は死んだ。二年後の国入りに、綱村はどんな気持で黒上家の牡丹を見たであろうか？

千余株の牡丹花は、今もなお「岩沼の牡丹屋敷」と呼ばれて、年毎《としごと》に撩乱《りょうらん》と咲き誇っている。

（「婦人倶楽部」昭和十三年三月号）

酔いどれ次郎八

一

「千久馬《ちくま》、いよいよ本望を達する時が来た」

「――うん」

「長い辛棒だったな」

次郎八は盃《さかずき》を渡して、

「これで故郷へ帰ることが出来れば僥倖《ぎようこう》と云《い》うべきだ、この足軽支度もまる三年、今宵《こよい》限りでおさらばと思うと些《いささ》か名残惜しい気がする」

「拙者は、一日も早く帰りたい」

千久馬は盃を持つ手の震えを隠すように、元気な声で云った。

「必ず帰れるよ、ここまで上首尾に運んで来たのではないか、討ち取って大浜へ走れば船も待っている、海へ出さえすればこっちのものだ」

「そんなに帰りたいか」

「貴公は帰りたくないのか」

次郎八は黙って千久馬の盃へ酒を注《つ》いだ。

——帰りたいさ。

三年も見ない故郷の山河だ。

杉原喜兵衛が横目《よこめ》の清水重右衛門を斬《き》り、御預りの名剣兼光《かねみつ》を奪って播磨《はりま》国龍野《たつの》藩を出奔したのは天和《てんな》二年（一六八二年）の春のことだ。

——藩主脇坂安政は激怒してその踪跡《そうせき》を探らせるうち、喜兵衛が薩摩《さつま》へ遁《のが》れて島津家に仕えた事を知ったので、矢作《やはぎ》次郎八と岡田千久馬の両名に、

——喜兵衛を斬り、兼光を奪回して来い。

と厳命した。

由来薩摩は境戒が厳しく、幕府の隠密《おんみつ》でさえ入国する事の困難をもって有名である、そこへ乗込んで新参とは云え家臣に列している者を斬り、兼光の剣を奪回して帰るという事がどんなに困難であるか言を俟《ま》つまい。——しかし二人は艱苦《かんく》よく忍んで薩摩に入り、船手《ふなて》奉行手《ぶぎようて》附《つき》の足軽となって三年、今宵ようやく喜兵衛必殺の機会を摑《つか》んだのである。

大任を果して帰ることの悦《よろこ》びは、千久馬よりも次郎八が一倍である、今日まで秘してはいたが、彼には許嫁《いいなずけ》がいたのだ。同藩馬廻《うままわ》り組頭、茅野《かやの》総造《そうぞう》の娘でゆき江と云う、その時十八歳で、愛くるしく温和《おとな》しい顔だちの娘だった。

——生きて帰ると思わないで下さい。

別れる時にそう云ったら、

——いいえ、きっとお帰りなさいますわ、どうぞゆき江がお待ちしている事をお忘れ遊ばさずに。

そう云ってじっと見上げた、つぶらな眸子《ひとみ》の中に燃えるような愛着の光があったのを、今でも歴々と覚えている。

けれどいま次郎八の胸は不吉な予感でいっぱいだった。今日まではあらゆる事が手順よく運んで来た、そのあいだの艱難苦労も、目的に比して過重だとは云えない、むしろここまで来て考えれば余りに幸運に恵まれ過ぎているように思える、——船手組にいたお蔭《かげ》で、脱出する船を契約する事も出来た、いま、その海産船は大浜に待っている、二人が乗り込みさえすれば直ぐ錨《いかり》をあげるだろう、あとは播州《ばんしゅう》までひと航《はし》りだ。……この備え過ぎた条件が次郎八に不安を感じさせるのだ、土壇場《どたんば》に大きな陥穽《かんせい》が待っているのではあるまいかと。

「何を、何をそんなに考えているのだ」

千久馬が不安そうに覗《のぞ》き込んで、

「それとも、我々が故郷へ帰るのは難かしいとでも云うのか」

「そんな事はないさ」

次郎八は微笑して云った、

「帰れるとも、必ず帰れる、次郎八が附いている以上決して死なせはせぬ。だが千久馬、これまで手順が旨《うま》く運んだからと云って油断するな、気を緩めると失敗する、どこまでも必死必殺の覚悟で行こうぞ」

「大丈夫だ、その覚悟なら出来ている」

「それでいい、あとは己《おれ》が引受けた」

次郎八は盃を受取って足下に砕き、

「――時刻だぞ」

と立上った。

林南寺の鐘が午後十二時《ここのつ》を打ち始めた。次郎八は草鞋《わらじ》の紐《ひも》を検《しら》べ、襷《たすき》をかけながら、千久馬の様子を見やった。――同い年ではあるが少年の頃《ころ》から弟のように思っていた相手だった、向う気は強いが実は気の弱い性質で、いつも次郎八が盾のように庇《かば》ってやっていた。

――貴様だけはきっと帰してやるぞ、
次郎八はそう呟《つぶや》いた。

――たとえどんな事があっても、貴様だけは必ず故郷の土を踏ませてやるぞ。

「落着くんだ、千久馬、初太刀は己がとるから、よいか、落着いてやるんだぞ」

「心得た」

「よし、では行こう」

次郎八は杉原の屋敷の裏塀《うらべい》へ進み寄った。

二

「――喜兵衛、起きろ！」

次郎八が叫ぶより早く、

「上意だ」

と千久馬が枕《まくら》を蹴上《けあ》げた。

喜兵衛は龍野藩でも聞えた腕利《うでき》きである、初太刀は必ず自分にとらせろと、次郎八は繰返し云って置いたのだが、いざとなると分別を失ったらしく、喜兵衛が夜具の中で身を転ずるはなへ、

「――えイッ」

と斬り下した。気合が充分でなかった、剣は喜兵衛の横鬢《よこびん》を殺《そ》ぎながら辷《すべ》る、

「曲者《くせもの》ッ」

神速に身を転じながら、枕刀を執って跳ね起きる喜兵衛、相手が次郎八と千久馬だと見るや、

「あッ貴様らか！」

「矢作次郎八、岡田千久馬だ、上意に依って参ったぞ、覚悟はよいか」

「う、うぬ――」

喜兵衛は一瞬、半面を血に染め、肩で息をつきながら居合腰に二人を睨《ね》めつけていたが、突如！　薄い掛け夜具を足で蹴上げて千久馬の面上へ、同時に次郎八へたっと鋭く抜打ちをかけた、

「えイーッ」

次郎八体をひらく。

「小癪《こしやく》な！」

右に転じながら、流れる喜兵衛の肩を一刀、背へかけて充分に斬り放した。

「誰《だれ》ぞ、参れッ」

喜兵衛は障子へ倒れかかりながら、

「狼藉者《ろうぜきもの》だッ」

「──喜兵衛、見苦しいぞ」

「狼藉者だ、誰ぞ参れ、誰ぞ──」

絶叫しながら逃げようとする、踏み込んだ次郎八は、腰を落しざま脾腹《ひばら》を、殆《ほと》ど胴斬りに斬って取った。──悲鳴と共にだだっ、顚倒《てんとう》するところへ、千久馬がのし掛って更に頸根《くびね》を深々と斬り放した。

「よし、それでよし、見事だ」

次郎八は静かに云いながら、床の間の刀架にある大剣を取り、有明行灯《ありあけあんどん》の光に抜き放って見た、長船兼光《おさふねかねみつ》、古刀の中でも貴品の一で、刀相《すがた》をひと眼《め》見れば分る。

「これだ、千久馬、有ったぞ」

「──人が来る」

奥の方からあわただしい足音が近づいて来る、家人が起出したらしい、次郎八は兼光を鞘《さや》に納めて腰に差すと、

「退《ひ》こう、慌《あわ》てるなよ」

千久馬を促して廊下へ出た。

庭へ下りた二人は、追って来た人々の手燭《てしょく》の光を避けながら裏手へ廻り、侵入した木戸口から屋敷を脱け出ると、闇《やみ》の中を海手へ向って走りだした。

しかし大番組町まで来ると、どう手配をしたものか既に少からぬ人数が、提灯《ちょうちん》を振りかざしながら道を塞《ふさ》いでいる。――こういう場合、非常警備の素早さは薩摩藩独得のものだ、鳴子式に要所々々へ急報が通ずると、あらゆる街道口が即座に閉されて了《しま》う。

「いかん、――小馬場を抜けよう」

「斬って脱けたら?」

「未《ま》だその必要はない、急げ」

次郎八は千久馬を引摺《ひきず》らんばかりに歩を転じ、松井大隅《まついおおすみ》の屋敷角を小馬場の方へ曲る――とたんに向うから走って来た二十人あまりの一団とばったり出会った。

「しまった!」

二人が足を停《と》めるより疾《はや》く、

「其奴等《そやつら》だ」

「逃がすな、斬って取れッ」

喚《わめ》きながら、抜きつれて取囲んだ。

――予感が当った。

次郎八は閃《ひら》めくように思った。この素早い手配りではとても二人一緒に斬り抜ける事は出来ない、唯《ただ》ひとつの方法は追手の力を分裂させることだ、そうすれば或《あるい》は千久馬だけは助ける事が出来るかも知れぬ。

「千久馬、――」

次郎八はじりじりと退《さが》りながら、

「松原の中へ跳び込め、西へ抜けると川縁《かわべり》へ出る、真直《まつすぐ》に下れば海だ、――ここは己が喰《く》い止めるから行け」

「いやだ、生死とも二人一緒だ」

「未練者、二人とも死んで殿への復命をどうする、行け、両方へ別れれば追手の力を殺ぐ事も出来るのだ、早くッ」

「――そうか」

千久馬は咄嗟《とつさ》に意を決して、

「では、船で待っているぞ」

「千久馬、――」

次郎八は素早く、

「茅野のゆき江に伝えてくれ、堅固を祈っていたと、……さらばだ」

云うより疾く、じり押しに詰寄って来る追手の中へ、次郎八は阿修羅《あしゆら》の如《ごと》く斬り込んで行った。

三

「拙者は辛《から》くも船へたどり着いて、夜明け近くまで待っていた、――だが、次郎八は遂《つい》に姿を見せなかった」

千久馬は微《かす》かに太息をついた。

「さぞ……見事な死態《しにざま》であったろう」

「殿への復命をどうする、そう云って拙者を無理に立退《たちの》かせたが、本心は助けたかったのだ。今にしてよく分る、――いつもそうだった、少年の頃から次郎八は拙者をよく庇護《ひご》してくれた、拙者の悲しみや悦びを、一番よく察してくれたのは彼だ」

「そうだ、次郎八はそういう男だった」

あの夜からもう二年経《た》っている。

龍野城中の遠侍で、江戸勤番から国許詰《くにもとづめ》になって帰ったばかりの森井欣之助に、岡田千久馬がいま喜兵衛討ちの仔細《しさい》を語り終ったところである、――欣之助もまた、次郎八とは幼い頃からの親友であった。

「それで、矢作の家はどうなった」

「殿には殊《こと》の外不便に思《おぼ》し召され、いずれ然《しか》るべき者に家名を継がせるという御意だが、まだ何とも御沙汰《ごさた》は無く、その儘《まま》になっている」

「たしか……次郎八には許嫁があった筈《はず》だが、そうではなかったのか」

千久馬の顔にふっと紅《あか》みがさした。

「それに就《つい》てまた話もある、下城してから拙者の家へ寄ってくれぬか」

「久方振りで邪魔をしようか」

「一緒に帰ろう」

城を下《さが》ったのは日暮れ近くであった。

辻町《つじまち》の下にある千久馬の屋敷へ伴立《つれだ》って戻《もど》ると、玄関へみずみずしい若妻が出迎えた。——千久馬が妻帯したのを知らぬ欣之助にはいささか意外だった。

客間へ通ると千久馬は、

「今度娶《めと》った妻、ゆき江と申す。——常々話した森井氏《うじ》だ、御挨拶《ごあいさつ》を申せ」

「不束者《ふつつかもの》でございます、どうぞ宜《よろ》しく」

「手前こそ、——」

初々《ういうい》しく羞《はじら》いながら会釈《えしやく》する女の姿を、欣之助は訝《いぶか》しげな眼でそれとなく見やっていたが、やがて彼女が去って行くと、

「ゆき江どの、と云うと若《も》しや」

「如何《いか》にも」

千久馬は眼を伏せて、

「茅野総造の娘、次郎八生前の許嫁だ」

「それは……奇縁な、――」

欣之助は明かに挨拶の言葉に困る様子だった。――千久馬はそれを期していたらしく、罪を待つ者のように両手を膝《ひざ》に正して云った。

「拙者が次郎八の許嫁を家の妻に娶ったこと、さぞ不嗜《ふたしな》みな仕方と思うであろう、――いや、隠すには及ばぬ、家中《かちゅう》一般の批判も同様だ、そしてそれは当然の事だと思う」

「まあ待て」

欣之助は静かに制して云った。

「家中の批判がどう有るか知らぬが、拙者は亡《な》き次郎八の友として一応事情を聞いて置きたいと思う」

「無論、拙者の方から願うところだ」

千久馬は、云い過ぎや語り足らぬ事を惧《おそ》れるように、一語々々区切りながら語った。

「次郎八が拙者を愛し庇ってくれたと同じように、拙者がどれ程次郎八を頼みにし、どんなに敬慕していたか貴公は知っている」

「――云うまでもない事だ」

「薩摩城外の小馬場で別れる時、彼は茅野のゆき江に伝言を頼んだ、拙者はその時はじめて次郎八にそういう女のあった事を知った、本当にその時はじめて知ったのだ」

龍野へ帰った千久馬は、藩主安政に仔細の復命をすると、家へも寄らずその足で茅野家を訪ね、次郎八の伝言を伝えた。――兄とも慕っていた次郎八の相手がどんな娘か、期待に胸を躍らせていた千久馬は、ゆき江の姿を見た最初の瞬間に、恐しい力で惹《ひ》き着けられて了った。

しかしその気持は単純なものではなかった。

次郎八を喪《うしな》った哀《かな》しみ。

その哀みが娘の方へ彼の心をぐんぐんと惹き着けたのである、――次郎八を喪った哀み、それは千久馬にとって堪《た》え難《がた》いものであると共に、ゆき江にとっても恐ろしい悲運だった、二人の感動は次郎八の死を中心に、初めの一瞬から緊密な繋《つな》がりをもったのである。

――本当に駄目《だめ》なのでしょうか。

その時ゆき江は取乱した様子で云った、

——もう生きてはお帰りにならないのでしょうか、少しも望みはないのでしょうか。

赤く泣き腫《は》らした眼で、じっと、縋《すが》るように見上げるゆき江の顔を、千久馬はそのまま抱き寄せて、共に泣きたい衝動に駆られた。

これが若し少しでも違った条件であったら、恐らく二人のあいだには何事も起らなかったに違いない、しかしこの場合にはのっぴきならぬ感動が二人を結んで了ったのだ。世間の誰にも察する事の出来ぬ、二人だけが知る一つの悲哀、それが二人を烈《はげ》しい力で引き寄せたのだ。

四

「この気持が分って貰《もら》えるか」

千久馬は言葉を切って云った、——欣之助は太息をつきながら頷《うなず》いた、

「——分る、よく分る」

「拙者はそれからしばしば茅野を訪ねるようになった、家人も快く迎えてくれたし、ゆき江はいつも待ち兼ねている風だった、無論それは別意あっての事ではない、三年のあいだ相離れ、今は再び見ることの出来ぬ次郎八の話を聞きたいためだ、話なかば

で……彼女《あれ》は何度も泣いた、拙者も泣いた、——こうして日の経つうちに、拙者の心はいつか違った方へ動き始めたのだ、初めから他人のようには思えなかった気持が、はっと気付いた時にはもう、動きのとれぬ深みへ落込んでいたのだ」

「さぞ苦しかったであろう」

「苦しかった、諦《あきら》めようとした、だがもう諦めるには遅かった、——その時分にはゆき江の気持も同様に変って来ていたのだ」

尋常の恋にさえ抗し難い年頃である、これは更に底深く、しかも初めから遁《のが》れ難い運命をもっていた。

千久馬は意を決して、

——ゆき江どのを家の妻に。

と人を介して申し込んだ。一言の下に拒絶されると思ったのに、意外にも茅野総造からは承知の返辞が来た。

——但《ただ》し、娘の希望として一年待って頂きたい、そうすれば矢作次郎八の一周忌も済むゆえ、そのうえで祝言《しゅうげん》を仕《つかまつ》ろう。

千久馬は一年待った。

しかし次郎八の一周忌が済むと、ゆき江は更に半年の延期を申し出て来た、それも快く承知した。――ゆき江の延期する気持がよく分ったからである、いざ婚約が成立ってみると、若しや次郎八が帰って来はせぬかという疑いが起ったのだ、

――本当に斬死《きりじ》にをなすったのでしょうか。

何度も彼女はそう云った。

――若しや、万に一つも。

それは同時に千久馬の疑惧《ぎぐ》であったのだ。

「こうしたゆくたてを経て、とうとう二人は婚姻の式を挙げたのだ」

「――ではこの頃の事だな」

「今日で二十余日しか経たない」

「そうだったか」

欣之助は顔を挙げて、

「よく話してくれた、家中の者がどんな評判をしようと、拙者には貴公らの気持がよく分る、それよりも地下にいる次郎八の方が、もっともっと理解しているに相違ない」

「そう思ってくれるか」

「彼はそういう男だ、次郎八は冥府《めいふ》で二人を祝福しているぞ」

欣之助の力強い言葉に、千久馬の面上は甦《よみがえ》ったような光を帯びて来た。

やがて酒肴《しゅこう》の支度が運ばれ、化粧を直したゆき江が執り持ちに坐《すわ》ると、話題は欣之助の方へ廻《まわ》って、勤番中の江戸の見聞に話がはずんだ。——何もかも打明けて心が軽くなったか、千久馬は盃《さかずき》の数も日頃《ひごろ》より多く、側《そば》からそれを見ているゆき江の表情にもなごやかな愛情が溢《あふ》れていた。

——これでよい。

欣之助は独りそう呟《つぶや》いた。

——二人もこれで落着く事だろう。

そして次郎八とは刎頸《ふんけい》の友として許される自分が、二人の婚姻を快く認めたからは、やがて世評も好転するに相違ないと思った。

運命ほど皮肉なものはない。

こうして欣之助という理解者が出て、ようやく二人が力強く立直ろうとした時、また欣之助にしてもそれを何より望んでいた時、思いもよらぬ障害が彼等の面前に現われた。

その夜から四五日経った或る日、——欣之助が登城して御用部屋へ入ると、そこにいた四五名の者が待ち兼ねていたように、

「森井氏、帰ったぞ帰ったぞ」

と云う。

「帰ったとは、誰が」

「矢作だ、矢作次郎八が帰って来たぞ」

欣之助はあっと立竦《たちすく》んだ。——しかし相手はその顔色を読もうともせず、

「薩摩で二年、乞食《こじき》同様の暮しをしながら脱走の折を待ったのだそうな、人相を変えるために頬《ほお》へ火傷《やけど》も拵《こしら》え、幾度も命の瀬戸際《せとぎわ》を潜《くぐ》ってようやく帰国したと云う」

「しかも兼光を放さず持ってさ」

「いま御前へ召されているが、もうやがて退る頃だろう、——それで我々もこうして下城せずに待っているのだ」

悦《よろこ》んでよいか悲しんでよいか、とっさには分らぬほど茫然《ぼうぜん》としていた欣之助の耳へ、人々の侮蔑《ぶべつ》を含んだ言葉が鋭く聞えて来た、

「云わぬ事ではない、高が二年待てばよいものを、女も女だが千久馬も取返しのつかぬ事になったではないか」

「友の生死もたしかめず、色情に眼の昏《くら》んだが過《あやまち》の素《もと》だ、これからどうするか見物だぞ」

五

欣之助は長廊下に立っていた。

御前へ召されたまま御酒下《ごしゅ》されになったらしく、既に十一時《よつはん》を廻ったのに次郎八は退出して来ない、――千久馬と会わせる前に、是非とも自分から二人の気持を説明しておきたい、そう思って欣之助は待っているのだ。

御用部屋での評判は、次郎八の帰りを賞揚すると共に、早くも千久馬夫妻への非難を再燃させている。

――だが次郎八は分る。

欣之助はそう確信していた。

――仔細を話せば、彼とても必ず二人の幸福を願うに相違ない。

そのためにも欣之助は、先《ま》ず自分から彼等がそうなった始終を語らねばならぬと思ったのだ。――待つこと一刻半《いっとき》余り、やがて十二時《ここのつ》に近いと思われる頃、御書院へ続く長廊下の彼方《かなた》から、にわかに人の罵《のの》り騒ぐ声が聞えて来た。

「矢作氏、お鎮《しず》まりなさい」

「駄目だ、押えつけろ」

「――放せ、放せッ」

「矢作氏、乱心めされたか」

叫び声と、乱れた足音が此方《こちら》へ、――近習の侍四人掛りで、矢作次郎八を抱き竦めながらやって来た。

欣之助は驚いて、

「――どうしたのだ」

と声をかけた。

「御前で爛酔《らんすい》のあまり慮外に及び、御不興を蒙《こうむ》ってこの有様です」

「放せ、此奴《こやつ》ら放さぬかッ」

「手を捻《ね》じ上げろ」

「そこの納戸《なんど》部屋へ、――」

乱れ狂う次郎八を、手取り足取り、納戸部屋へ担《かつ》ぎ込んで投げ出した。

「うぬ、よくも投げ出したな」

次郎八は濡《ぬ》れ雑巾《ぞうきん》をつくねたように坐り直しながら、

「此奴ら、矢作次郎八をよくも手籠《てご》めにしたな、顔は一々見覚えた、道で会ったらぶった斬ってくれるぞ」

「——次郎八」

欣之助が堪《たま》らず近寄って、

「そんなに泥酔《でいすい》してどうする、鎮まれ」

「ばかな、次郎八は二升や三升の酒で酔うような腰抜けではない。誰《だれ》だ、そんな事を云う奴は誰だ」

酔眼を振り向けた次郎八の、右の高頬に恐ろしい火傷の痕《あと》、赤黒く爛《ただ》れた無慙《むざん》な傷痕、——なんという変りようだ、かつての端正な相貌《そうぼう》は何処《どこ》へやら、両眼は暴々《あらあら》しく血走っているし、引歪《ひきゆが》めた唇《くちびる》には獣のような兇猛《きょうもう》さが現われている、人の相貌がこんなにも変る事があるであろうか、……欣之助は一瞬、思わず顔を外向《そむ》けて了《しま》った。

「どうして外方《そっぽ》を向く、この火傷が恐ろしいのか、やい青法師こっちを見ろ」

次郎八は首を振って喚《わめ》きたてた。

「この火傷はな、龍野藩五万三千石の名聞を、島津七十余万石の権勢から救った大切な御痕だぞ、若しこの次郎八がいなかったら、薩摩の懐《ふところ》へ逃げ込んだ杉原喜兵衛、龍野如《ご》き小藩の微力では指を差す事も出来なかったに違いない、つまり次郎八なればこそ、貴様らも天下に顔向けがなるというものだぞ」

「止《よ》せ次郎八、言葉が過ぎるぞ」

欣之助が抑えるのをきかず、

「言葉が過ぎる？　笑わせるな、何奴《どいつ》も此奴《こいつ》も手柄《てがら》の値打が分らぬから教えてやるのだ、これが大藩なら安くて三百石、まあ五百石の加増は当然だ。それを何だ、――如何に山奥の貧乏家中だからと云って、ただ褒《ほ》め置くぞの一言で済ますとは、第一この火傷が」

「黙れ、黙れ次郎八」

欣之助は余りの事につと寄りざま、次郎八の口を掌《てのひら》で押えた。

「城中だぞ、人も聞いているぞ」

「な、何をするッ」

次郎八は振りもぎって、

「人に聞かせるために云うのだ、放せ」

「――次郎八」

欣之助は左手を伸ばし、衿髪《えりがみ》を取ってぐいと引寄せると、耳許へ口を寄せて叫んだ、

「貴公どれほど酔っているか知らぬが、これだけ案じている拙者の気持が分らぬ筈《はず》はあるまい、気を鎮めてよく聞け、城中だぞ、それ以上一言でも吐いたらその儘《まま》には済

まんぞ」

「うるさい！」

次郎八は力任せに振放して、

「つべこべと意見がましい奴、一体……貴様は何者だ」

「拙者の顔も分らぬのか、情ないぞ次郎八、よく見ろ、欣之助だ、森井欣之助だ」

「森井、欣……？」

訝《いぶか》るように、酔眼を瞠《みひら》いてじっと見詰めたが、さすがにそれと分ったのであろう。

「ああ、貴公か」

太息のように呟《つぶや》くと、そのままぐたぐたとそこへ突伏して了った。

六

「何という変りようだ」

「あれが五年まえの次郎八か」

家中の人々は啞然《あぜん》とした。

「二年も遅れて帰りながら、己ひとりで喜兵衛を斬ったように云い居る、拙者が千久馬なら聞くだけでも唯は置かぬぞ」

「いや、彼には昔から傲慢《ごうまん》なところがあったよ」

「そればかりではない、高の知れた手柄を盾に、自分の口から恩賞の不服を申すなど、武士の風上にも置けぬ奴だ」

「そう云えばあの火傷の痕が、却《かえ》って彼に似合って見えるぞ」

評判は悪くなる一方だった。

そういう噂《うわさ》を知るや知らずや、次郎八はあれ以来出仕もせず、来る日も来る日も爛酔して、悪口罵《ば》詈《り》を飛ばし、父の代から仕えている家僕《かぼく》が諫言《かんげん》でもすれば、殴る蹴《け》るの乱暴狼藉《ろうぜき》であった。

欣之助は疑惧に悩んでいた。

――如何になんとしても変りようがある、総角《あげまき》の頃から心の底まで知り合った次郎八、どんなに変ればとてあれほど無道になる筈がない、――しかし。

幾度も否定する心の奥から、

――ゆき江。

という名が浮上って来る。

――矢張りそうだろうか、ゆき江。命を拾って帰参すれば、許嫁《いいなずけ》の女は既に親友に取られていた、弟のように思っていた友が、自分の許嫁を娶《めと》っている。

恋は人を変えると云う、しかも次郎八の場合は余りに残酷な破恋だ、自分の命を賭《と》してまで危い土壇場から落してやった友達、それが自分の生死もたしかめずその許嫁を奪った、――そのうえに彼は、ふた眼と見られぬ醜い顔になって了ったのだ。

――そうだ、変るのが当然だ、これを平気で許す者があったら鬼神に違いない、次郎八とても人間だ、我々はみんな弱点をもっているのだ、救ってやらねばならぬ。

次郎八を苦悩から救うことは、千久馬とゆき江が結び着いた仔細《しさい》を語る他にない、そうなるまでの二人の苦しみを話せば、それでも分らぬ次郎八ではないと思う。――そう考えたので、欣之助は何度も矢作の家を訪ねた。しかし次郎八は家僕を通して面会を断り、どうしても会おうとしなかった。

こうして半月ほど経《た》った或る日、意外にも次郎八の方から訪ねて来た、

「よく来てくれた、さあ、――」

「少し頼みたい事がある」

上へ招じようとするのを断って、次郎八は玄関に立ったまま口重く云った。

「実は千久馬に会いたい」

「…………」

「貴公に一緒に行って貰《もら》いたいのだが」

「無論、悦んで参ろう」

欣之助は快く頷《うなず》いて、

「しかし千久馬に会うなら、そのまえに拙者から話して置きたい事がある」

「いや、その必要はない」

次郎八はぶすっと遮《さえぎ》った。

「どうして必要がないのだ」

「聞かなくとも分っている」

「そうか、――では、どういう気持で千久馬に会うのか、それだけ云って貰おう」

「……別に」

次郎八はちょっと口籠《くちごも》ったが、

「別に他意あっての事ではない、薩摩で別れたきり会わぬから久闊《きゅうかつ》が云いたいのだ」

「それだけか？」

「――――」

「本当にそれだけの気持か」

次郎八は眩《まぶ》しそうに眼を伏せた、そして暫《しば》く足許《あしもと》を見詰めていたが、やがて呟くような声で云った。

「ゆき江にひと眼、ひと眼だけ……」

「次郎八！」

欣之助は胸を刺された。——高頬の傷痕を隠すように、あらぬ方へ外向けた横顔のなんという淋《さび》しさ、

「案内をしよう、だが」

と欣之助は訓《さと》すように、

「千久馬とゆき江どのがああ成ったに就ては、一言で尽せぬゆくたてがあるのだ。貴公の気持も分る、しかし二人の苦しい立場も察してやって欲しい」

「そうかも知れぬ」

次郎八の表情は再び硬《こわ》ばった。

「しかし今それを貴公から聞いたところで致し方はない、よかったら参ろう」

「支度を直して来る」

ゆき江を前にして篤《とく》と話したら、却って諒解《りょうかい》が早いかも知れぬ、そう思った欣之助は支度もそこそこに、次郎八を伴って岡田の屋敷を訪ねた。

千久馬もゆき江も家にいた。

七

「久しぶりだ」

「ようこそ、御健固で、――」

何方《どちら》もぎこちなさの脱《と》れぬ挨拶《あいさつ》だった、――欣之助は側《そば》から執り成すように、

「堅苦しい挨拶は抜きだ、少年の頃から心を許し合った三人、こうして久方振りで会ったのだからもっと打ち解ける事にしよう」

「では先ず、馳走《ちそう》はないが一盞《いっさん》やろう」

千久馬は直ぐに酒肴《しゅこう》を命じた。

欣之助は座を明るくしようとして努力したが、次郎八は顔の筋ひとつ動かさず、自分の膝《ひざ》を見下したまま惘然《ぼうぜん》と坐《すわ》っていた。――やがてゆき江が婢女《はしため》と共に膳部《ぜんぶ》を運んで来る、……心なしか化粧も薄く、頬は心の動揺をそのまま表白するかのように蒼味《あおみ》を帯びていた。しかし、男を知って間の無い女の、噎《むせ》るような肌《はだ》の香や、胸のふくらみ、豊かな腰のくびれに、隠しきれぬ嬌《なま》めかしさが描かれていた。

膳を配り終えたゆき江は、

「ようこそ、御無事で……」

と手をついたが、ふと見上げた眼に、次郎八の恐ろしく変った相貌をみつけると、

「ま、――」

危く声をあげようとして眼を外らした。欣之助は慌《あわ》ててそれを打消すように、

「さあ、他人行儀はもうよい、御内室には憚《はばか》りながらお執り持ちを頼みます、次郎八も寛《くつろ》いだらどうだ、――千久馬、主人から先ず」

「では毒味を」

盃が廻り始めた。そして少しずつ話がほぐれ始めるのを待って、

「あれから、ずっと薩摩に、――?」

と千久馬が眩しそうに訊《き》いた、

「左様、屹度谷《きつとたに》へ隠れて山児《やまがつ》の群に入ったり、漁夫の仲間に紛れ込んだり、遂《つい》にはこの通り火傷を拵《こしら》えて乞食部落にまで身を陥《おと》したよ」

「それは、なんとも苦労であったろう」

「要もない事にな!」

次郎八は自嘲《じちよう》の声音で云った。

「だが漁夫も山児も、乞食たちも良い奴等だった、己《おれ》のような男でもよく面倒をみてくれたよ、――兼光を持ち帰る要さえなければ、乞食で一生を終ってもよいと思っ

た」

「そんな馬鹿《ばか》な事を」

「いかんか、乞食はいかんか？」

刺すような鋭い口調に、はっとして千久馬が眼を伏せる。次郎八はそれを見ると、いきなり盃洗《はいせん》を取って中の水をざっと庭へ捨て、

「御妻女、酌《しゃく》を頼む」

と差出した。

「次郎八、――」

「森井は黙って居《お》れ」

ぴたっと押えて、ゆき江が恐る恐る注《つ》ぐ酒をひと息に呷《あお》りつけた。

「不味《まず》い、不味い酒だ、招かれざる客は美味《うま》い酒にも有りつけぬか、ふふふふふふ
――おい千久馬、何故《なぜ》己を見ぬ」

「次郎八、貴公欣之助の面目を潰《つぶ》すぞ」

「黙れ黙れ、己と千久馬とは兄弟同様の間柄であった、殊に今では己の許嫁を妻として居る、申さば肉親も及ばぬ仲だ、なあ千久馬、そうであろう」

「それに就ては聞いて貰いたい事が」

「うるさい、言訳は沢山だ、——御妻女、ゆき江どの、もう一杯頼む」

差《さし》つける盃洗、ゆき江が震えながら注ぐ酒を息もつかずに飲み干した次郎八、血走った眼でゆき江の姿をじっと見詰めながら、

「美しいなあ、娘時分とは違って、この嬌めかしい美しさはどうだ、これでは千久馬が迷うのも尤《もっと》もだぞ、——しかし、よく手に入れたな千久馬、貴様は武芸こそなまくらだが、女を蕩《たら》す法は得手《えて》と見える」

千久馬はきっと唇を噛《か》んだ。

「喜兵衛を討った時の態《ざま》、覚えているか、すっかり逆上して手許《てもと》も定らず、横鬢《よこびん》を殺《そ》いだり蒲団《ふとん》を被《かぶ》せられたり、今考えても笑止千万な態だった。己がいたからよかったようなものの、独りなら返り討ちになっていたところだぞ、——いや実に、あんな腰抜けとは知らなかった」

「次郎八、腰抜けとは口が過ぎるぞ」

千久馬が色を変えて云った。——次郎八は待っていたと云わんばかりに、

「腰抜けが不服か、冗談《てい》じゃない、小馬場で既に斬死《きりじ》にという場合、己の情《なさけ》で危く命を拾い、ほうほうの態《てい》で逃げ帰った、あの惨《みじ》めな姿を考えてみろ、腰抜けのうえに臆《おく》病《びょう》未練、おまけに密通までしているではないか」

「――云ったな！」

千久馬は片膝立てて、

「密通という件は措《お》く、だが腰抜け、臆病未練とは聞捨てならんぞ」

「聞捨てがならなければどうする」

「庭へ出ろ」

ぱっと大剣を掴《つか》む、

「千久馬、待て」

欣之助が驚いて支えようとするより疾《はや》く、次郎八も剣を取って、

「面白《おもしろ》い、相手をしよう、来い」

と起《た》った。

八

「待て、二人とも待て、それでは拙者の立場が無くなる、待て千久馬、次郎八は酔っているのだ」

「止めるな、もう聞かぬ！」

千久馬は欣之助の手を振放して、

「今の一言酔狂と云えるか、このまま聞きのがしては武士道が立たぬ、——来い次郎八」

「心得た」

「待て、待て」

必死に押し止めようとしたが、二人は互いに大剣の鞘《さや》を払って庭へ跳び下りた。

「千久馬、——斬るぞ」

にたりと冷笑する次郎八、ようやく酔いが発したらしく、よろめく足を踏みしめながら、青眼《せいがん》につける、——千久馬は構える余悠《よゆう》もなく、いきなり真向から、

「えイッ」

と斬りつけた。

次郎八は無言のまま体を開くと、立直る千久馬の面上へ切尖《きっさき》をつけて、ぐっぐっと詰め寄った、圧倒する気合だった、——千久馬はたじたじと二三歩退《さが》ったが、捨身の勇、喉《のど》を劈《つんざ》くような絶叫と共に、

「だーうッ」

体ごと叩《たた》きつけるような突き、

「それだけか！」

戞《かつ》！　烈《はげ》しくひっ払って、千久馬の体が伸びるところを、腰を落しながら一刀、

「あっ」

欣之助は思わず庭へ跳び下りた。

しかし、一髪の差で体《たい》を躱《かわ》した千久馬、この太刀を避けもせず、猛然と火の出るような体当り、酔歩をとられて、次郎八がだっと横ざまに顚倒《てんとう》する、措かせず踏み込もうとする千久馬の前へ、

「それ迄《まで》、千久馬それ迄だ」

と欣之助が割って入った。

「起て、起て次郎八、勝負はまだつかぬぞ」

「いや勝負は定《きま》った」

欣之助は無理に押しへだてながら、

「森井欣之助が慥《たし》かに見届けた、これ以上はお上へ憚りがある、刀を引け、千久馬」

「あなた、どうぞ……」

縁先に立竦《たちすく》んでいたゆき江の、救いを乞《こ》うような声を聞いて、千久馬はようやく心を押えた、――そして、まだ地面に腰を落したままぐたりと首を垂れている次郎八の方へ、

「命冥加《みょうが》な奴だ、——帰れ！」

と喚《わめ》いた。

次郎八はやや暫《しばら》く動かなかったが、やがて落ちていた剣を引き寄せ、酔いの発したしどろもどろの手つきで拭《ぬぐ》いをかけながら、

「帰れ……か、帰れ帰れの三《み》ひょこひょこ、とんだ失策で笑止千万、酔っていなければ仕止めたものを、ふふふふふ」

「次郎八」

「帰るよ、負けて帰るの水潜りだ」

ふふふふふと、自ら嘲《あざけ》り笑いながら、蹣跚《はんさん》としてそのまま闇《やみ》の中へ立去って行った。

——じっと、見送っていた三人、千久馬が吐き出すように、

「見下げ果てた奴だ」

と云えば、ゆき江もまた、

「あんなお方とは夢にも存じませんでした、本当になんという無道な……」

と軽蔑《けいべつ》の眉《まゆ》を顰《ひそ》めながら云った。

それから半刻《はんとき》の後、——次郎八は誰《だれ》もいない自分の家で旅支度をしていた。

家僕たちには昨日すでに暇をやった、家財も見苦しからず片附けてある、塵《ちり》も止《とど》めぬ畳に、孤灯が侘《わび》しく光を投げている。――支度を終った次郎八は、襖《ふすま》を明け放った部屋々々を名残り惜しげに暫く見やっていたが、やがて灯《ひ》を吹き消して裏手の方へ出て行った。

次郎八が裏木戸から外へ出た時である、表から廻《まわ》って来た提灯《ちょうちん》が一つ、

「――次郎八ではないか」

と呼びながら近寄って来た。

「あっ」

とっさに逃げようとしたが、相手は素早く行手を塞《ふさ》いで提灯をさしつける、欣之助だった。

「その姿はどうした」

「――欣之助」

とあげる横顔、

「あ、その頬、――」

欣之助は愕然《がくぜん》と眼を瞠《みは》った。――次郎八の高頬から、あの恐ろしい火傷《やけど》の痕《あと》が消えているのだ。まるで拭ったように、しかもそればかりではない、つい半刻まえまでは

兇猛であったその表情が、今は昔のまま端正な相に変っているではないか、

「次郎八、貴公あの傷は……」

「面目ない、塗薬だ」

「聞こう、訳を聞こう」

詰め寄る欣之助を、次郎八は静かに微笑しながら見やって、

「欣之助、——己は、己は千久馬を愛していた、今でもその気持に変りはない」

「それなら何故！」

「己は帰って来て家中の評判を聞いた。可哀《かわい》そうに、二人が結び着いた事情はよく分る、己は二人の仕合せをこそ祈れ、些《いささ》かも憎む気持など有りはしない、——だが世間の噂《うわさ》は無情だ、二人は不義者のように云われている、欣之助、これを救う道は一つしかない、それは次郎八が悪人になる事だ、次郎八が無頼であればあるほど、千久馬夫妻を見る世間の眼は違って来る筈だ。……そして、どうやらそれが成功したらしい、これで二人は安穏《あんのん》になれる」

「——知らなかった」

欣之助は溢《あふ》れ出る涙を懸命に堪《こら》えて、

「それ程までに考えた事を、どうして一言打ち明けてくれなかったのだ、他に思案も

あったであろうに」

「他には無いのだ欣之助」

次郎八は静かに云った。

「世間の批判を正すのも一つ、もっと大事なのは、千久馬夫妻の気持だ、分らないか貴公、……己が今まで通りの男で、しかも同家中にいたとしたら、二人は終生悔恨に苦しめられるんだぞ」

「――次郎八」

欣之助はひしと友の手を握った。

「そうなんだ、だから己は酔いどれ次郎八になった、千久馬もゆき江も、今宵《こよい》からは全く自由になれるんだ、惧《おそ》れていた次郎八の幻から逃れて、二人だけの生活が始まるんだ」

「これ程の武士を、――」

欣之助は咽《むせ》びながら云った、

「みすみす悪名に朽ちさせるのか」

「それが二人の為《ため》なんだ、正直に云えば――ゆき江の仕合せの……」

初めて、初めて次郎八の眼に涙が光った、初秋の夜風が、高く高く吹き過ぎて行く、

――虫の音が噎ぶように闇を震わせていた。

（「富士」昭和十三年八月号）

武道仮名暦《かなごよみ》

一

「――父上さま」

お縫《ぬい》がふいに立停《たちどま》って、

「向うから馳《か》けていらっしゃるのは、伝八郎さまではございませんか」

「なに、伝八だと」

海部《うみべ》信之介と話しながら歩いていた池田玄蕃《げんば》が、娘に注意されて向うを見ると、柳小路をこっちへいっさんに走って来る武士――なるほど甥《おい》の戸来《へらい》伝八郎だ。色の浅黒い、眉《まゆ》の濃い、逞《たくま》しい肩つきをした青年である。歩いて来る三人に気付かないのか、そのまま、擦れ違いそうになった。

「――伝八ではないか」

「は！」

玄蕃に呼びかけられて、二三歩たたらを踏みながら停まる。

「こ、これは伯父上」

「なにが伯父上だ、三日前に江戸から帰ったそうではないか、なぜ挨拶《あいさつ》に来ない」

「それが、あれです」

伝八郎は口早に、

「なにしろいま急いでいますので、二人ばかり人を待たせてあるものですから、また後で伺ってお詫《わ》びを致します、御免！」

「待て、待て、伝八――何処《どこ》へ行く」

「……あとで伺います」

そう云《い》う声は既に濛々《もうもう》たる埃《ほこり》の彼方《かなた》だった――玄蕃は忌々《いまいま》しそうに舌打をして、

「みっともない。何という奴《やつ》だ」

「ひどい方」

お縫も怨《うら》めしそうに呟《つぶや》いた。

「幾らお急ぎの御用があるからって、三年振りでお会いしたのに、あたしにもひと言ぐらい何か仰有《おつしや》って下すっても宜《よ》い筈《はず》だわ」

「それどころでは無いですよ」

海部信之介が苦笑しながら云った。

「戸来はいま果合《はたしあい》に行ったのですから」

「果合だと――？」

「今日、城中で三人と喧嘩《けんか》をやりました、曽根忠太、栗林源造、山田慕《つのる》、曽根と山田は諏訪明神《すわみょうじん》の境内で待ち、栗林源造は鉄砲的場《まとば》で待つ約束をしていました」

「もうやったのか」

玄蕃は眼《め》を剝《む》いた。

「三年も江戸にいたから少しは大人になったと思ったに、帰る早々またぞろ喧嘩か、なんという手の早い奴だ」

「あっちへいらしたのは鉄砲的場ですのね」

「捨置けぬ、行って懲《こら》しめてやろう」

玄蕃は歩を廻《めぐ》らした。

戸来伝八郎は二百石の同心組頭である。食禄《しょくろく》は少いが南部家で戸来といえば、数百年来の譜代で、三人まで家老を出している由緒《ゆいしょ》ある家柄《いえがら》だった。——伝八郎は幼い頃《ころ》父母を失い、伯父に当る池田玄蕃の後見で成長したが、物に拘泥《こだわ》らぬ明るい闊達《かったつ》な性質で、朋友《ほうゆう》にも敬愛されていたし、組下の信頼も篤《あつ》かった。

ただ思った事は遠慮なくずばずば言う方なので、時々喧嘩をする難がある。伝八郎に云わせれば理由があるのだが、玄蕃にはそれがひどく気に入らなかった。

——要するに世間を知らぬからだ。

そう思ったので、主君利済《としずみ》公に懇願したうえ、三年間の江戸詰《づめ》にして貰《もら》ったのである。

ところが三年経《た》って帰国すると、その挨拶にも来ない内に、もう三人も喧嘩相手を拵《こしら》えて了《しま》ったというのだから、玄蕃の呆《あき》れたのも無理ではないだろう。

盛岡城下を西へ出端《ではず》れたところに鉄砲的場がある。この四五年殆《ほと》んど使われていないので、草蓬々《ほうほう》と生茂った寂しい場所だ。

「あ、父上さま、あすこに」

「——うん」

小走りに来た三人が、的場の入口へかかると、向うの櫟林《くぬぎばやし》の蔭《かげ》で伝八郎と栗林源造の抜合せているのが見えた。——玄蕃は草を踏分けて近寄りながら、

「伝八、止《や》めい！」

と声をかけた。

しかし見向きもしない。相手の源造は顔色蒼白《そうはく》、額へべっとり膏汗《あぶらあせ》を滲《にじ》ませながら、上段に剣をつけているが、その眼光が凄《すさま》じい殺気を帯びているのに反し、既に気根の尽果てている様子だった。——玄蕃は更に進んで、

「止めい、伝八、刀を退《ひ》け」

と叫んだ。刹那《せつな》！

「――えイッ」

青眼《せいがん》の剣がぎらりと陽《ひ》を截《き》って、伝八郎が六尺余り跳び退《しさ》ると、源造の体は支柱を外された朽木のように、前のめりに二三歩のめって撞《どう》と草の中へ顚倒《てんとう》した。

二

「や、斬《き》ったな！」

「いや大丈夫です、――」

走り寄る玄蕃を押えながら、伝八郎はにやっと笑って云った。

「喧嘩で人を斬るほど伝八郎は馬鹿《ばか》ではありません。疲れて気絶しただけのことです。――やあ海部も来ていたのか、ちょうど宜い都合だ、これを家まで担《かつ》いで行って呉《く》れ、拙者はもうひと組片附けて来る」

「馬鹿な事を申せ、伝八、――」

「お小言は後で伺います、なにしろ急いでいますから、御免！」

「待て、待てというに伝八」

「後で伺います」

振向きもせずに走って行った。

鉄砲的場を北へ抜け、御薬園《おやくえん》の塀《へい》に添って東へ二三丁行くと諏訪明神の森がある。伝八郎が疲れも見せず境内へ走り込んで行くと、——巨《おお》きな楠《くすのき》の古木の蔭に腰を下ろしていた二人の若侍が手をあげた。

「こっちだ——」

「やあ、待たせて済まなかった」

「どうした、源造は」

山田募が立って迎えた。伝八郎は懐紙を出して汗を押拭《おしぬぐ》いながら、

「あいつ、拙者の留守にだいぶ腕が落ちたぞ、呼吸《いき》を押し抜いてやったら呆気《あっけ》なく参っちまった。もう少し虐《いじ》めてやりたかったんだが、伯父貴がやって来たんで勘弁した」

「お縫さんと海部が一緒だったろう」

「うん、よく知っているな」

「来る途中で見かけたんだ」

「おい戸来、——」

曽根忠太が笑いながら、

「貴公気をつけないとお縫さんを奪《と》られて了うぞ、あいつ、この半年ばかり池田家へ入浸りにねばっている」

「馬鹿を云うな、あんな奴に何が出来る」

「そうじゃない、あいつは変に男振が良いし、小才が利《き》くから女には好かれる型だ」

「心配するな、お縫はあいつより利巧だよ」

伝八郎はあっさり一蹴《いっしゅう》して、

「ところで早速だが例の話だ」

「まあ掛けないか」

「うん、――手紙は見たな、曽根」

伝八郎は腰を下ろして振返った。

「見た、それで充分注意していたんだが、別に変りはなかった」

「不穏な様子はないか」

「不穏どころか、奴等、温和《おとな》しく昼寝をしているよ。全く阿呆《あほ》のように温和しい。一体あの手紙に書いてあった事は本当なのか」

「事実だとも、慥《たし》かに津軽は陰謀を企《たくら》んでいるんだ。慕、貴公の方はどうだ」

「何も無い、彼は明直《めいちょく》に勤めている」

「それでは思ったより手剛《てごわ》いぞ」

「だが戸来」

山田募は慎重に云った。

「津田将曹《しょうそう》が津軽に操られているというのは事実なのか、なるほど彼は津軽と血続きになっている。だから国老に任ぜられた時も家中では相当不評だった。しかし拙者が思うに」

「まあ待て、貴公の意見は分っている。仮にも将曹は国老だ。拙者だって訳もなく、疑いを掛けはしない――だが、国境《くにざかい》にも別状なく、将曹にも不審が見えぬとすると、こいつ余程気をつけて掛らぬと失敗するぞ」

「矢張り下斗米《しもとまい》の件が根を成しているのだな」

「無論の事だ」

南部と津軽との確執は長い。

遠い原因に遡《さかのぼ》ると、津軽家の祖先為信は南部の家臣であった。それが極めて狡猾《こうかつ》な手段で叛逆《はんぎやく》し、津軽の地を攻め取って弘前《ひろさき》城に独立の基礎を建てたのである。――無論、南部でも拱手傍観《きようしゆぼうかん》していた訳ではないが、そのとき津軽には伊達政宗《だてまさむね》という後楯《うしろだて》があったし、時勢を観《み》る事に敏《さと》かった為信が、逸早《いちはや》く豊臣秀吉から本領安堵《あんど》の教書を貰って了ったので、南部藩は百年の恨みを呑《の》んで沈黙するより仕方がなかったのである。

こうした両家の関係が旨《うま》くゆく筈はない。国境を接して事毎《ごと》に相反目し合っていたが、正徳《しょうとく》四年（一七一四年）に野辺地の烏帽子山《えぼしやま》の所属に就《つい》て争いを生じ、結局幕府の裁きで津軽領に決定した事や、南部三十六世の利敬侯《としたか》が家督した時、津軽越中守《えっちゅうのかみ》寧親《やすちか》が家格も官位も遥《はる》かに南部家を凌《しの》いで上位にあり、その忿懣《ふんまん》から利敬が病を得て早世した事などで、有名な相馬大作事件で知られている下斗米秀之進の津軽侯狙撃《そげき》という大事が出来《しゅったい》し、宿怨《しゅくえん》は益々《ますます》深刻になった。

秀之進は幕府の手で刑殺されたが、津軽家の復讐《ふくしゅう》心は消えず、南部に対して徹底的な打撃を与えてやろうと、種々謀計を廻らせているという事が、密《ひそ》かに南部の方へ聞えて来る——殊《こと》に、

一、烏帽子山の例に倣《なら》って、再び国領を侵犯しようという計画。

一、南部の国家老、津田将曹を操って内部に紛争を起そうとする計画。

この二点の密報を得て、伝八郎は急遽《きゅうきょ》帰国して来たのである。——今日城中で栗林源造と口論になった時、曽根と山田の二人にも拵え喧嘩を仕掛け、ここで密会したのは前以《まえもっ》て二人に探索を頼んで置いた、その模様を聴くためであったが、その報告は彼

の予想を裏切っていた、国境にも異状なく、将曹の身辺にも疑わしいものが無いという。しかし伝八郎は却《かえ》ってそこに企みの深さが感じられるように思えるのだった。

「兎《と》に角《かく》、この上とも油断なく頼む」

「国境の方は見廻《みまわ》りを増そうか」

「その方が宜いな、――募は将曹の身辺をぬかりなくやって呉れ」

「心得た」

三人は立上った。

三

「伝八郎でございます」

「――入れ」

襖《ふすま》を明けて入ると、窓際《まどぎわ》の机に向って端坐《たんざ》していた玄蕃が、繙《ひもと》いていた書物から振返って眼鏡越しにぎろりと睨《にら》んだ。

「一昨日は失礼仕《つかまつ》りました。早速お詫びに伺う積りでいたのですが、色々と御用繁多でつい延引致しました。――さて、伯父上にはその後お変りも無く」

「なにがお変りも無くだ」

　玄蕃は苦々しげに口をへの字に曲げた。

「今更そんな殊勝らしい挨拶をせんでも宜い、それより栗林との喧嘩の始末をしたか」

「始末と仰有いますと？」

「和解をしたかと云うのだ、あんな事をしてその儘《まま》にして置くと禍根が残るではないか」

「なに源造は弱虫ですから」

「そんな事を訊《き》いているのではない。彼が弱虫であるかどうか知らぬが、少くとも御《お》納戸奉行《なんどぶぎょう》の子息なんだぞ」

「そういえば御納戸奉行も役に立たぬ人物ですな。あれは早く更迭《こうてつ》させぬといけませんん」

「黙れ、若輩の分際で出過ぎたことを申す」

「これで肚《はら》は良いのですが……」

　玄蕃は眼を剝き出した。押えつけようとすればする程、ぬらりくらりと滑り脱けて了う。まるで鰻《うなぎ》でも扱っているようで相手になるだけ苛々《いらいら》するばかりだ。――その癖どこか言う事にぴりっとする物があるので、一概《いちがい》に呶鳴《どな》りつける訳にも行かなかった。

「肚が良いか悪いか、兎も角もう少し考えて物を云え、江戸でも大分喧嘩をしたそうだが、みんなその口が禍《わざわい》を成しているのだぞ」

「自分でも損な口だと思います」

伝八郎はけろりとして、

「これで世間並の世辞追従《ついしょう》が云えると、今頃はもっと出世しているのですが、どうも馬鹿を見ると馬鹿と云いたくなるし、癪《しゃく》に障ると殴りたくなるし、……伯父上の悪いところだけ似て了ったようで甚《はなは》だ残念です」

「勝手にしろ、儂《わし》が貴様に似なくて仕合せだった」

「そう仰有られると些《いささ》か辛《つら》いですな。尤《もっと》も御側頭《おそばがしら》が拙者のように喧嘩早くては家中《かちゅう》が騒がしくて困るかも知れませんから……時にお縫さんはいますか、江戸から土産を買って来たんですが」

「——稽古場《けいこば》に居る」

玄蕃はくるっと机の方へ向直った。

「何か稽古を始めたのですか」

「この春から海部に小太刀を習って居る」

「信之介にですか、——へええ、あいつ人に教える程の心得があったかしらん」

「貴様は、なんだろう」

玄蕃は眼鏡を脱《と》って、

「この世界に偉い人物は自分独りだと思っているんだろう」

「そうです――」

伝八郎は座を退《さが》りながら、

「少くともお縫さんの良人《おっと》になる人物は世界中に拙者唯《ただ》独りです」

「その自信に狂いが無ければ幸いだ」

「なにその点は安心です、御免」

「待て待て」

玄蕃は慌《あわ》てて呼止めた。

「今つい貴様の口拍子《くちびょうし》に乗せられたが、儂はまだお縫を遣《や》るとも何とも云っては居《お》らんぞ、独り合点で思い違いをするなよ」

「いや、拙者の肚はもう決っているから大丈夫です」

あっさりと云って起《た》った。

伯父の部屋を出て、母屋の廊下を鉤《かぎ》の手に曲り、裏庭の方へ突当ると、玄蕃が槍《やり》の稽古をするために建てた別棟《べつむね》の稽古場がある、――伝八郎は小さな袱紗包《ふくさづつみ》を片手に杉《すぎ》戸《ど》を開けて中へ入った。

そこでは今しも海部信之介が、お縫の手を執って組太刀の型を直しているところだった。信之介は庄田流の小太刀に秀《ひい》で、若手の中では十指に数えられていた。——杉戸の明く音にはっと振返ったお縫、伝八郎と見て思わず信之介から身を離した。

「やあ精が出ますな」

伝八郎は無遠慮に入りながら、

「先日は済まなかった海部、本当に家まで背負って行って呉れたんだってなあ、百姓馬にでも括《くく》り着けて行けば宜かったのに」

「生憎《あいにく》とそれが無かったものだから」

信之介がそう云うのを聞きもせず、

「お縫さん土産だ」

と振返って袱紗包を差出した。

「もっと沢山買って来たかったんだが、相変らずの貧乏でほんのお笑い草だ」

「有難《ありがと》う、そこへ置いて下さいまし」

「まあ開けて御覧よ、土産物は贈り主の前で開くのが礼儀だ」

「いまお稽古中ですから後で」

「剣術などは止《や》め止め、女がそんなものを稽古したところで何にもなりはしない、——海部もそうだぞ、こんな無駄《むだ》な時間があったら自分の修業をもっとすべきだ」

「それはどう云う意味だ」

さすがに信之介は色を作《な》した。

四

「どう云う意味かって？　別に深い意味がある訳はないさ、ただ拙者は」

「お待ち下さい伝八郎さま」

お縫がつと前へ進み出た。

「いま貴方《あなた》は、女が剣術の稽古をするのは無駄な事だと仰有《おつしや》いましたわね」

「云ったさ、実際つまらない事だ」

「なぜでございます、武士の娘として武術のひと手ふた手、修業をするのは当然の心得ではありませぬか、いざ合戦という場合には、例え女でも、防ぎ矢ひと筋射るくらいの覚悟が無ければならぬ筈《はず》です」

「冗談じゃない、いざ合戦となって女が出るようではもう滅亡だ、防ぎ矢ひと筋射るより、親を辱《はずかし》めず良人を辱めぬよう、立派に身の処置をつけるのが女の本分で、それ以上は、出遮張《でしゃば》りというものだ」

「それは貴方の御意見でしょう？」

「誰《だれ》の意見でも差支《さしつか》えはない、女には女の本分がある。男の真似《まね》をしたって及ばぬ事は分ってるんだ、慰みにやるんなら庭へ蔬菜《そさい》でも作る方が増しだよ」

「お帰り下さいまし！」

お縫は蒼白《あおざ》めた顔で云った。

「貴方の不作法にも少し飽きが来ました。その御意見を大事に納《しま》ってお帰りなさいまし」

「おやおや」

伝八郎はにやっと笑った。

「到頭また一人怒らしちゃったか、どうも奇妙だ、拙者がひと言何か云うと誰も彼も怒って了《しま》う、これじゃあとても凌ぎがつかん、幾ら伝八郎だって世界中の人間と喧嘩《けんか》をしている暇はないからな、――仕様がない、土産はここへ置いて行くぞ」

「頂きたくありません、お持帰り下さい」

「そんなに意地を張ることはないだろう、折角持って来たのだからそう云わずに」

「いいえお持帰り下さい！」

云うとそのまま木剣を執り直して、

「海部さま、お願い致します」

と向うへ離れて行って了った。

伝八郎はその様子を大きな眼玉《めだま》で昵《じっ》と見守っていたが、やがて踵《きびす》を返すと大股《おおまた》に杉戸を明けて稽古場を出て行った――信之介はその後姿を見送ってから、

「今日はこれまでに致しましょう」

「――なぜですの、伝八郎の申した言がお気に障りまして？　それならお詫《わ》び致しますわ」

「いや、あれは戸来の癖ですから」

と信之介は眼を伏せたが、

「実は少し伺いたい事があるのです」

「――？」

「不躾《ぶしつけ》なお訊《たず》ねで、或《あるい》はお怒りになるかも知れませんが」

「お伺い致しますわ」

「戸来とは従兄妹《いとこ》にお当りでしたね」

「はあ……」

「お怒りにならずに聴いて下さい、従兄妹同志というだけなのですか、それとも他《ほか》に何かのお約束でもあるのですか」

「どうしてそんな事をお訊きなさいますの？」

思い懸けぬ質問にお縫の心はたじたじとなったが、その表情は些かも紊《みだ》れていなかった。――信之介は色白の端麗な頬《ほお》に、思い切った決意を見せながら、

「その訳はもうお察し願えると思いますが」

「わたくし……ぼんやりなものですから、何ですか熟《よ》く仰有ることが分りませんのですけれど、若《も》し――婚約でもあるかというお訊ねでしたら、そんな事は決してございませんと申上げますわ」

「本当ですか、本当に！」

信之介は甦《よみがえ》ったように眸子《ひとみ》を輝かせた。

「それなら宜いのです、そういう噂《うわさ》を耳にしたものですから実は――」

「そんな噂がございますの」

「戸来が自分でそう云っている様子です」

「まあ、――」

お縫の眉《まゆ》がきりきりと痙攣《ひきつ》った。

「そこまで思い昂《あ》がっていようとは存じませんでした。再びそんな事のないように、父から堅く云って貰《もら》いますわ」

「事実がそうでなければ却って構わぬ方が宜いですね、それよりも……」

信之介はお縫の眼を瞶《みつ》めながら、

「若し拙者が同じお願いを持っているとしたら、貴女《あなた》は矢張りお怒りになりますか」

「いけませんわ海部様」

お縫はぽっと頬を染め、足許《あしもと》へ眼をおとしながら云った。

「そういうお話は父になすって下さいまし」

「申上げても宜いのですね」

「――――」

探るような信之介に瞶められて、お縫は身内に不思議なむず痒《がゆ》さを感じ、自分で吃驚《びっくり》するような蓮葉《はすは》な調子で笑いだした。

「何をお笑いになるのです」

「ほほほほほ、御免遊ばせ、そんな話はもう止《や》め、お稽古を続けましょう、わたくし今日は滅茶《めちゃ》滅茶に疲れてみとうございますの、――お願い致しますわ、さ」

上気した眼許に挑《いど》むような笑みを含みながら、お縫は木剣を執り直した。

五

「矢張り何も変った様子はないよ」

「――そうかなあ」

伝八郎は解《げ》せぬ顔で、

「そんな筈はないと思うが」

「見廻《みまわ》りは倍にしてあるし、土民たちにもその旨《むね》を含めて置いたから、少しでも国境を越すような事があれば直ぐ分る筈なんだ」

「余り厳重なので手が出せないのかも知れないな」

「それも慥《たし》かに考えられる」

もう九月に入って半ばを過ぎた、――帰国して初めて会った時には、この諏訪明神の境内も残暑が厳しかったけれど、今は吹渡る風も肌《はだ》に薄寒く、真昼なのに地虫の鳴く音が細々と、絶入りそうに聞えていた。

「――ああ山田が来た」

曽根忠太が振返って云った、――山田募が足早に近寄って来た。

「待たせて済まぬ」

「なに、そんなに待ちはせん」

「下城しようとしているところへ変な知らせがあったものだからつい後れて了った」

「何だ、変な知らせとは」

「二つあるんだ」

急いで来たとみえて、募は額に浸み出た汗を拭《ふ》きながら、

「将曹が江戸へ行く」

「——江戸へ、本当か、それは」

「江戸家老と交代だそうだ」

伝八郎はくっと唇《くちびる》を嚙《か》んだ。……期待していた国境にも変りがなく、津軽の傀儡《かいらい》と睨《にら》んでいた津田将曹は江戸へ去る、とすれば、紛擾《ふんじょう》の起るのは江戸であるかも知れない。

「出立《しゅったつ》はいつだ？」

「明後日あたりと聞いて来た」

「素早いな！」

伝八郎は宙を睨んで、

「では拙者も直ぐ江戸へ出る手順をつけなければいかん、国許でぬきさしならぬ尻尾《しっぽ》

を押えて呉《く》れようと思ったのだが旨《うま》く外された」

「また江戸へ出るのか」

「無論だ、将曹の行く処《ところ》ならどこへでも跟《つ》いて行くよ、――それで、もう一つというのは何だ」

「例の新しい御達しに就いてお取止めを願っていたのが、遂《つい》に却下された」

「駄目だったのか、いつだそれは？」

「拙者が下城する時だった」

忠太は舌打をして、

「ではいよいよこれから我々は首《くび》斬《き》り役人になるのだな――さぞ皆が悦《よろこ》ぶだろう」

「どうもこれは穏かには済まぬぞ」

新しい御達しというのは、――十日ほど前に同心組に対して、

――武術鍛練のため、今後同心組の者に重罪人の斬首《ざんしゅ》を命ず。

という下命があったのである。

南部藩の同心組は、幕府の御手先に当るもので、家柄《いえがら》の者を揃《そろ》えてあったし、他の役柄と違って、『同心組気質』とも云うべき一種の気概を誇っていた。――それが罪人の首を斬れと命ぜられたのであるから、名目は武術鍛練というにあっても、そのま

ま命に順《したが》う訳にはゆかぬ問題だった。

――罪人斬首には牢《ろう》役人が居る。

――武士たる者に不浄役人の真似《まね》が出来るか。

そう云って、二三日前に組頭一統連署のうえ、辞退願いを差出したのであった。

「――馬鹿な話だ」

伝八郎は苦笑して、

「あんな事は、御達しを受けた時に、その場で辞退すれば何でも無かったのだ。御沙《さ》汰《た》を承ったのは誰だ」

「今月の当番で栗林源造だそうだ」

「あいつ物を識《し》らん奴だ」

曽根忠太が忌々《いまいま》しそうにもう一度舌打ちをした。――伝八郎は軽く手を振って、

「なに、いずれにしても大した事じゃない、何度でも筋を立てて願い出ればお取止めになるのは分っている、むやみに騒がぬ方が宜いな。――ところで、それより拙者は直ぐ出府出来るように手順をつけなければならぬから今日はこれで失敬するぞ」

「行くと決ったら知らせて呉れるな」

「無論いろいろ打合せがあるから出立前に一度会おう、では――」

そう云って伝八郎は二人と別れた。

諏訪明神の境内を出ると、その足で彼は池田家を訪ねた、伯父はちょうど下城したところであった。

「急用とは何だ」

玄蕃は出て来ると直ぐに云った。

「縫の事なら儂《わし》は知らんぞ」

「緊急のお願いがあるのです」

六

伝八郎は膝《ひざ》を進めて、

「出来るだけ早く、江戸表へ出府の出来るように御配慮を願いたいのです」

「江戸へ行く？」

「大至急にです」

「何のために出府するんだ」

「理由は申上げられません」

きっぱりと云う甥《おい》の顔を、玄蕃は暫《しばら》く無言のまま、まじまじと覓《みつ》めていたが、やが

て妙な苦笑いをしながら、

「いよいよ旗を巻いて逃げるか」

「――なんですか、その逃げると仰有るのは」

「海部と縫の噂を聞いて居堪《いたたま》らんのだろ」

　意外な言葉だった。

「海部がどうか致しましたか」

「隠してもその顔に書いてあるぞ、なんだ意気地の無い、縫の良人たるべき者は世界中に己一人と云ったのを忘れたのか、それともあれは唯《ただ》の空威張りか」

「そんな事はありません」

「では何のために江戸へ逃げるのだ、――海部は慥かに、縫を嫁に呉れと申込んで来たよ、縫も嫁《ゆ》くのは厭《いや》でない様子だ、しかし儂はまだいずれとも返辞はして居らん」

「お縫さんは海部へ嫁きたいと云っているんですか」

「厭ではないらしいな」

　玄蕃はとぼけた顔で天井を仰いだ。

　江戸へ出なければならぬという理由を、どうやら伯父は曲解しているらしい、尤《もっと》も今の話が事実だとすると、伝八郎にとっては重大な問題だ。

——お縫をあんな生っ白い小才子の妻にする事は出来ぬ。それはもう定《きま》りきった事だ。例えお縫が自分を嫌《きら》って、他の誰かに嫁《か》すとしても、海部信之介だけは許せない。……将曹出府という事件を控えて、そんな私事に関《かか》わっていられる伝八郎ではなかったが、江戸へ出立するとすれば、何とか片をつけて置かなければならぬ。

「お縫さんは家ですか」

「居らぬ、細木の家で歌の会があるとか云って今しがた出て行ったようだ」

「——伯父上」

伝八郎は向直って、

「江戸へ行けるように急いでお計い下さい、信之介の方は片をつけます」

「そう簡単に片づくか」

「造作のない事です」

「——貴様は好い男だな、伝八郎」

玄蕃はにやりと笑って、

「随分と欠点もあり弱点もあるが、その自信の強いところだけは頼母《たのも》しいぞ、儂は黙って見ていてやる、軽挙《かるはずみ》をするな」

「では出府の方もお願い出来ますすな」

「兎《と》に角《かく》願ってみよう」

「非常に急ぎます、是非お早く！」

そう云って伝八郎は座を辷《すべ》った。

池田家を出ると、暮れやすい秋の、外はすでに黄昏《たそがれ》であった。伝八郎は信之介に会って、お縫との問題を即決してやろうと、その足で藪小路《やぶこうじ》の海部の家を訪ねたが、信之介は留守であった。——然《しか》も家の中が妙にごたごた混雑している様子である。

「まだ下城しないのか」

と訊《き》くと若い家士が、

「いえ、一度お退《さが》りのうえ、御寄合があるとかでお出掛けなされました」

という答えであった。——いずれ夜分にもう一度来るからと云い残して家へ帰り、夕食を済ませて、再び海部へ出掛けようとしている時だった。

「山田様がお見えでございます」

家僕《かぼく》藤六が知らせる後から、山田募が肩で息をつきながら走り込んで来た。

「——どうした」

「一大事だ！」

募は大刀を置きながら坐《ざ》し、

「同心組全部、脱藩しようとしている」

「なんだと？」

伝八郎は思わず片膝立てた。

「それは、どういう意味だ」

「あれから帰ってみると、組頭一統寄合の廻状が来ていた。場所は栗林源造の別宅、行ってみると貴公を除く全部の者が集っていた」

「どうして拙者を除いた？」

「貴公は御側頭の甥だ、会議の密事が洩《も》れてはいかんというので除いたというが、栗林の意見だという事は分りきっている」

「その会議というのは例の問題だな？」

七

「そうだ――」

募は口早に云った。

「同心組は由緒《ゆいしょ》ある役柄だ、それでなくとも、武士として罪人の首を斬《き》るなどという不浄役人の真似は出来ぬ、再度お取止めの歎願《たんがん》をしたが遂に却下された以上、武士として当家に留《とど》まる事は出来ぬ、連袂《れんべい》して脱藩すべしと決定した」

「主張したのは誰《だれ》だ！」

「海部信之介、栗林源造！」

「海部、——」

伝八郎は立てた膝を鷲掴《わしづか》みにして、

「そして、そんな暴論に皆は同意したのか」

「拙者と曽根の他は一議に及ばず挙《こぞ》って同意だ。——しかも今宵《こよい》のうちに退国状を呈出して、これから法台寺へ立退《たちの》き明早朝に一同揃《そろ》って堂々と脱藩する事に決定している。拙者は極力抑えたが、皆の忿激《ふんげき》はどうしようもない、兎に角曽根に後を頼んで駆けつけて来たのだが……」

「好《よ》く来て呉れた、貴公は直ぐ帰って、必ずお取止め許可を願うからと取鎮《とりしず》めていて呉れ。己は御聴許を持って後から行く」

「事ここに及んで御聴許が出ようか？」

「大丈夫だ、己に任せて呉れ」

「では待っているぞ」

「一人も動かすな！」

帰る募と一緒に家を出ると、外はいつか静かな雨になっていた——伝八郎は思い返して戻《もど》り、馬を曳出《ひきだ》して伯父の家へ向った。

同心組に対して罪人斬首の下命は些《いささ》か乱暴であった。主君から出たものか国老たちの意見に出たものか分らないが、日頃《ひごろ》から『同心組気質』と云われて特に気概を誇っていた連中が不服を称《とな》えるのは無理ではない。しかしそのために連袂退国とは筋違いの暴挙というべきだ。

——それにしても、あの生白い信之介が、よくもそんな思い切った議論の先鋒《せんぽう》に立ったものだ。あれで多少は骨があるとみえる。

伝八郎が池田家へ着くと、玄関が妙にざわざわしていた。

「おお伝八か——」

玄蕃の様子も落着かぬようだった。

「いま迎えを遣《や》ろうと思っていたところだ」

「伯父上、一大事です」

伝八郎が坐《すわ》りながら云うのを、

「一大事はこっちのことだ、縫の行方が知れなくなった」

「お縫さん！」

伝八郎はぎょっと眼《め》を瞠《みは》った。

「細木の歌の会ではないのですか」

「それが余り遅いので、迎えを遣ったら、来ると直ぐ用があると申して帰ったというのだ、心当りを探したがどこにも居らぬ」

「――伯父上！」

伝八郎は屹《きつ》と面《おもて》をあげて、

「お縫さんの事は伝八郎が引受けます。伯父上はすぐに御登城下さい」

「登城しろと？」

「例の新規御下命に就《つい》て同心組頭一統、忿激の余り連袂脱藩を企て、既に立退きの用意まで致して居ります」

「――事実か、それは！」

「すぐに御登城のうえ、お取止めの儀を願って下さい。万一間に合わぬと御家の大事に及びます」

「しかし、一度御下命になったものを、騒動に及んだからと云って取止めるは御威光にも関わろうし、武術鍛練のためとある以上、辞退を願う理由がないではないか」

「罪人の首を斬って武術鍛練が出来るなら、牢役人は達人に成りましょう、武道は人を斬るための修練ではない筈《はず》です。若《も》し一歩を譲るとしましても、罪人は不浄の者でございますぞ。同心組は申すまでも無く御手先、殿御馬前の先行を勤める大切な役柄にて、最も不浄を忌むべきものです。――罪人などを斬った不浄の体で、御馬前先行のお役目が勤まりましょうか」

「――うむ！」

玄蕃は呻《うめ》きながら膝を打った。

「宜し、いまの一言、立派にお取止めを願う筋が立つ、登城しよう」

「吉左右《きつぞう》は法台寺へお知らせ下さい」

「半刻《はんとき》の間だ、必ず支えて居れ」

「心得ました」

伝八郎は玄関へ走り出た。

馬を曳かせて乗る、ようやく強くなって来た雨の中を、正に一鞭《ひとむち》くれて疾駆しようとした時、――向うから走って来た人影が、

「伝八郎さま！」

と呼びかけた。お縫の声である。

「あ、――お縫さん」

「早く、法台寺へ早く……」

頭からぐっすり濡《ぬ》れている。乱れた髪、端折《はしょ》った裾《すそ》の紅をぬいて、白々と見える脛《はぎ》は、無残や泥《どろ》にまみれた足袋跣《たびはだし》であった。

「それを御存じか？」

「海部信之介の企《たくら》みです、いえ、津軽家の陰謀でございます」

「なにッ、津軽の陰謀」

八

「海部信之介は津軽家から密書を受取りました。同心組が脱藩して来れば、全部元高で召抱えるという越中守直筆のものです。それでお組頭の方々を籠絡《ろうらく》したのです」

「――そうか、そうか、そうか！」

伝八郎は、呻き声をあげた。

「国境と将曹ばかり狙《ねら》っていたが、陰謀の火はそこに放たれていたのか、だがどうしてそれを知ったのだ」

「今日までそれを知るために、わざと海部に近づいていたのです。――精《くわ》しい事はあとで申上げますわ、それより早く法台寺へおいで遊ばせ」

「宜し、――」

手綱《たづな》を伸ばしたが、振返って、

「待て、お縫さん、次第に依《よ》っては信之介を斬るが、承知か？」

「御存じのくせに」

お縫は上眼づかいに昵《じっ》と見て云った。

「お縫は昔から戸来の嫁に定《きま》っていますわ」

「――八幡《はちまん》！」

叫ぶ声と、鞭の音とが同時だった。

信之介が津軽の糸を曳いていようとは想像もしない事だった、今にして思えば、先刻家の中が混雑していたのは退国の支度であったのだ。

――くそっ！

伝八郎の歯がぎりぎりと鳴った。

法台寺の門前で馬を乗捨てた時、中から走り出て来た曽根忠太とばったり行き会った。

「おお戸来、遅かった、いま少し前に退国状を届出《とどけで》て了《しま》ったぞ」

「――しまった！」

伝八郎は駆けながら、

「募はどうした」

「二人掛りで支えていたが、とても抑えきれぬから今また貴公を迎えに行った」

「手ぬるい事を……どこだ」

「方丈で酒盛をしている」

伝八郎は方丈へ踏込んだ。

そこには煌々《こうこう》と燭台《しょくだい》を並べて、――遠山金十郎、塩川左内、野々村三十郎、岩間左平次、同じく作之進、奥瀬覚右衛門、池田恒人、大ケ生求馬、赤前市郎、帷子《かたびら》多左衛門、栗林源造、海部信之介、以上十二名の者が、壮行の酒宴を張っていた。

「各々《おのおの》、盃《さかずき》を措《お》いて頂きたい」

「――あ、戸来だ」

座の中央へ踏込んで来た伝八郎を見て、列座の人々はさすがにぴたっと鳴りを鎮めた。

「様子は残らず聞きました。この度の事に就ては各々のみならず、同心組一統不服の所存、御同様よく存じて居ります。しかし連袂退国などとは武道を踏み外した仕方で、理由の奈何《いかん》に関わらず武士として絶対に赦《ゆる》されぬ事です。新規御達しは必ずお取止めになります。どうか穏かにお沙汰《さた》を待っていて下さい」

「――嘘《うそ》だ、その手は喰《く》わぬぞ」

栗林源造が喚《わめ》いた。

「いや！　決して嘘ではない、半刻のうちには必ずお取止めの使者が来る、拙者はその手筈をつけて駆けつけたのだ、鎮って呉れ各々」

「手筈とは何の手筈だ」

信之介が嘲《あざけ》るように云った。

「恐らく退国状を見て、討手を向ける手筈でもして来たのだろう。――各々、戸来の伯父は御側頭《おそばがしら》だぞ、これまで再度も願って許されぬ事が、今になって許されると思うか、戸来は藩の廻《まわ》し者だ、討手が来るに相違ない、酒宴を切上げて立退こうぞ！」

「待て、みんな待って呉れ」

伝八郎は立塞《たちふさ》がって、

「各々は伝八郎を知っている筈だ。かりに若し藩の命があったとしても、各々を騙《だま》しに掛けるほど卑怯《ひきょう》未練な男ではない、必ず御聴許の使者が来るのだ、待って呉れ」

「今更そんな事を信ずると思うか」

信之介は冷笑と共に云った。

「既に退国状を出してあるんだ、万一お取止めになったとしても所詮《しょせん》罪科は免《まぬが》れぬ、詰腹でも切らされるのが落ちだろう」

「それを知っているか、海部！」

伝八郎は刺すような語調で、

「知っているなら、腹を切れ！」

「――なに」

信之介の左手が大剣へ伸びた。

「腹を切れ信之介、武士の情けで何も云わぬ、貴公の家は南部藩でもそう軽くはないんだぞ、腹を切れ、そうすれば家名だけは立ててやる」

「――こうかッ」

絶叫と共に、銀光一閃《せん》、信之介の体が伸びた。的確に機を摑《つか》んだ抜討ちである。しかし伝八郎の右足が躍り、半身になった刹那《せつな》、白刃《はくじん》は逆に信之介の頸《くび》の根へ。

「えイッ――」

眼にも止まらず閃《ひら》めいていた。

一髪の差に生死を賭《と》した見事な太刀捌《さば》きである、抜討ちの切尖《きっさき》が袴《はかま》の裾を斬り払う

のと全く同時に、信之介の体は、抜討ちをかけた体勢のままだっとのめり伏す、伝八郎はそれに眼もくれず跳び退《しさ》って、

「聞かれい各々、拙者の申す事に偽りはない、お許しの使者は必ず来るのだ、それでも不承知というなら朋友《ほうゆう》とはいわさぬ、――信之介同様、斬る！　戸来伝八郎は南部家の臣だ、君家を売るような者は一人たりとも生けてここは出さんぞ！」

「――このくそッ」

喚きざま、栗林源造が、大剣を抜いて飛礫《つぶて》のように突を入れた、待っていたのである。伝八郎はさっと体を開いた。その動作は完全な受けと打ちとを兼ねていた。

「えイッ――」

掛声が人々の耳を打った時、源造はだだッと烈《はげ》しくのめって行って床の間へ顚倒《てんとう》した。――予想以上の冴《さ》えた手並に列座の面々は色を喪《うしな》った。

「――戸来、御使者だ」

曽根が絶叫しながら駆込んで来る――後から、全身濡れ鼠《ねずみ》のようになった山田慕が、息を喘《あえ》がせつつ現われて叫んだ。

「各々、新規御達しは取止め御聴許になりましたぞ、間もなく御使者が見えるでしょう、どうぞその儘《まま》お控え下さい。……戸来、……これは」

「信之介に源造、この騒動の責を負って、二人とも見事に自裁したよ」

　慕は息を引きながら伝八郎を見た。

＊　＊　＊

　南部藩史に有名な天保三年（一八三二年）の同心組騒動は、その最後の一歩手前で事無きを得た。海部信之介と栗林源造は、伝八郎の計いで、引責自刃という事になり、他の者は軽い閉門で事済みとなった。そして津田将曹は老職を追われ、遂《つい》に国外へ追放に処せられた。

　それからちょうど一年経《た》った。――再び訪れた新秋のよく晴れた午後――池田玄蕃が下城して来ると、凄《すさま》じい勢いで後から走りぬけて行く者がある、――見ると伝八郎だ。

「待て、伝八郎ではないか」

「は、――こ、これは」

　危く踏み止《とどま》った。

「失礼ながら急ぎます。御免！」

「待て待て、貴様また喧嘩《けんか》に行くのであろう、ならんぞ！」

「いや、喧嘩ではないのです」

「ごまかしても駄目《だめ》だ」

「出産です。出産です」

伝八郎は手を振りながら、

「お縫が男子を産んだと、いま知らせが来たところです。あとで様子をお知らせ致します。御免！」

云う声の半分は、蹴立《けた》てる土埃《つちぼこり》のかなたであった。――玄蕃は顔の筋をほぐしながら、眼を細めてその後姿を見送っていた。


（「富士」昭和十四年十一月号）

烏《からす》

一

「おい、お文《ぶん》、起きねえか」

「……うるさいわよ」

「起きねえか、もう夜が明けたぞ」

「お黙り、勘太《かんた》」

お文は粗朶《そだ》を折って切炉《きりろ》の火へくべながら、振返って叱《しか》りつけた。

「おまえお馬鹿《ばか》さんよ、まだ日が暮れたばかりじゃないの。町へ行ったお父《と》っさんだって帰って来ないし、……おまえ鳥のくせに昼間と夜の区別もつかないのね」

「くうくうくう、かっ」

柱の止木《とまりぎ》にいた烏《からす》の勘太は、お文に叱られたのが恥ずかしいとでもいうように、ひょいと身をすくめながら畳の上へ飛びおりた。

外は雪である。

時おり、樹《き》の枝から雪塊《ゆきくれ》の落ちる音が、ぱさっ、ぱさっと聞える他《ほか》には、ひっそりとして物音もない静けさだ。

お文は十七になる。……父親の太兵衛は猟人《かりゆうど》で、「野猪《のじし》の太兵衛」と云《い》えばこの附近で知らぬ者はない、猪狩りの名人であると共に、乱暴で強情で、いちど暴れだしたら手がつけられない男だった。けれど娘のお文にだけは、荒い声もかけられぬ優しい父で、どんなに乱暴をしているときでも、お文の顔を見ると仔猫《こねこ》のように温和《おとな》しくなるのが例であった。

此処《ここ》は美作《みまさか》ノ国津山の城下から、三里ほど北へ入った鷲尾山《わしおやま》の中腹で、昼でも人の通ることなどは稀《まれ》にしかない、まして冬のあいだは雪に埋れて、十日も二十日も人の声を聞かずに過すことが珍しくなかった。……お文は此処で生まれ、此処で育って来たのだけれど、感じ易《やす》い乙女心に変りはなく、独りで留守をする晩などはしみいるような淋《さび》しさに襲われる、……そんなとき、少しでも慰め相手になるようにと、去年の夏太兵衛は一羽の子烏を拾って来て与えた。

まだ巣立ったばかりの雛《ひな》であったが、お文は直《す》ぐに「勘太」という名をつけ、片時も肌《はだ》から離さぬように可愛《かわい》がって育てた。……勘太もよくお文に懐《なつ》いた、まるで赤子が母親のふところを慕うように、どんなときでもお文の側《そば》から離れない、殊《こと》にこの頃《ごろ》は人の言葉をよく真似《まね》るようになって、ふと太兵衛の口真似などをしては、お文を笑わせるのであった。

「……お父っさんのおそいこと……」

お文は炉に懸けた芋粥鍋《いもがゆなべ》の蓋《ふた》を直しながらふと呟《つぶや》いた。……獲物《えもの》を町へ売りに行ったまま、もう七時を過ぎたのにまだ太兵衛は帰って来ない、

「なにか間違いでもあったのじゃないかしら」

そう呟いたとき不意に、

がらがらッ、どしん。という烈《はげ》しい物音が台所で起った。……お文は勘太が悪戯《いたずら》をしたものと思って、

「まあ、嫌《いや》よ勘太、またなにかお悪戯《いた》ね」

と云いながら立って障子を明けた。見ると水口《みずぐち》の戸が明いて、雪まみれになった少年が一人、のめり込んだ姿のまま倒れている、お文は恟《ぎょっ》として立竦《たちすく》んだが、これはきっと道に迷って来たのだと思い、急いで側へ寄りながら、

「あなたどうなさいました」

と肩へ手をかけて云った。

少年は顔をあげた、色の白い頰《ほお》が緋牡丹《ひぼたん》の花を散らしたように血に塗《まみ》れていた。

……お文が思わず震えながら身を退《ひ》くと、少年はその裾《すそ》へ縋《すが》りつくようにして、

「お願いです、暫《しばら》く匿《かくま》って下さい」

と嗄《しやが》れた声で云った、「私は悪者ではありません、けれども訳があって追われているんです、どうか暫くのあいだ隠れさせて下さい」

お文は少年の眼《め》を見た。

いい眼である、勘太が餌《え》をねだって身をすり寄せるときのような、濁りのない、青みのさした美しい眸《ひとみ》だった。

「……さあお立ちなさい」

「隠して呉れますか」

「大丈夫きっと匿ってあげます」

「有難《ありがと》う、恩に着ます」

少年は感謝の籠《こも》った眼でお文を見上げた。

手を貸して援《たす》け起してみると、少年は右の高腿《たかもも》にも刀傷を受けていた。……抱えるようにして炉端へ連れて行ったお文は、父親が猟に出るとき持って行く薬箱を取出し、馴《な》れた手つきで直ぐに傷の手当をした。

「こんなひどい怪我《けが》をしていて、よく此処まで来られましたのね」

「なにをこんな傷ぐらい」少年は薬がしみるので眉《まゆ》をしかめながら、けれど元気な声で云った。

「天子さまのために、少しでもお役に立つと思えば、足の一本や片腕ぐらい取られたって平気ですよ」

「まあ、……ではあなたは」

「ええ私は天朝さまのために働いているんです」

少年は昂然《こうぜん》と額をあげて云った。

二

「津山藩がどう動くか、禁裏さまへお味方をするか幕府へ付くか、その様子をさぐるために来たんです。……お姉さんは勤王《きんのう》方でしょう」

「ええ。ええ。そうよ」

「そうだと思った。さっきお姉さんの顔を見たとき直ぐに、きっと天子さまのお味方だと思いましたよ」

「あなたは幾つになるの」お文は少年に瞶《みつ》められるのが苦しそうに、睫《まつげ》のながい眼を伏せながら訊《き》いた。

「私は十五です、名は梶《かじ》金之助」

「……金之助さん」

「京都の土佐屋敷にいる足軽の子です」

「十五くらいの年でよくそんなお役に立つことができるわね、やっぱりお侍さまの子だわ」

「侍の子でなくったって」

金之助は肩をあげながら「……誰《だれ》だって今はお国のために働くべき時ですよ、私たちの友達もみんな働いてます。女だって年寄だって、みんな起《た》ちあがってお国のためにお役に立つべき時なんです。……もう直ぐだ、幕府を倒して、もう直ぐ天子さまの日本になるんだ、もう直ぐ新しい日本の陽《ひ》がさしてくるんですよ」

そう云って少年は固く唇《くちびる》をひき結んだ。

津山藩の松平慶倫《よしとも》は徳川親藩の一人であったから、領民たちの多くは幕府の恩顧を重んじ、勤王の正しいことを解しない者が多数を占めていた。……殊にお文は、父親の太兵衛が日頃から歌を唄《うた》うように、将軍さま将軍さまと云うのを知っているので、父が帰って来て若《も》し金之助の正体が分ったらと思うと、考えただけでも胸の震える感じだった。

「……ねえ金之助さま」

お文はようやく傷の手当を終りながら、

「あたしには、あなたが立派なお役に立っている人だということが分るけれど、此処は徳川の御親藩でしょう、だから世の中のことをよく知らない人たちは、あなたの立派なお役目が分らないと思うの、殊にこんな山の中に暮している者は、御領主さまの他に偉い人はないと思っているんですから。……若し父が帰って来ても今のお話は内緒にしていて下さいましね、でないとどんな間違いが起るかも知れませんから」

「知ってます、私だってこんなことを人の見境《みさかい》もなく云いはしません、お姉さまなら……よく分って下さると思ったから」

「お文、帰ったぞ、帰ったぞ、お文」

いきなり勘太が叫びだしたので、思わず二人は愕《ぎょっ》として振返った。……その驚いた様子が面白《おもしろ》いとでもいうように、勘太は隅《すみ》の方でばたばたと羽搏《はばた》きをしながら、

「くうくう、くうう、かっ、かっ」

と喉《のど》を鳴らした。

「馬鹿ねえ、吃驚《びっくり》するじゃないの勘太」

「いまのは……あの鳥ですか」

「ええそう、よく人声を真似るでしょう、あたしが馴らしましたの。……勘太、納戸《なんど》

へ入っておいで、おまえお客さまに失礼よ！」

そう云っているとき、この家の表へ人の近づく気配がして、

「お文、帰ったぞ」

と呼ぶ声がした。……いま勘太が真似たのとそっくりの声である。

「大丈夫、お父さんですわ」

お文が金之助に云って立ちあがると、雨戸を明けて、雪まみれになった太兵衛が入って来た。お文は急いで簑笠《みのかさ》を脱ぐ手伝いをしながら、「お父っさん、お客さまがあるのよ」

「誰だ、……見馴れねえ人だが」

「院ノ庄の武家屋敷へ御奉公していた人よ、国許《くにもと》からお母さんが急病だという知らせが来たのに、お屋敷ではお暇を呉れないのですって、それで逃げだして来たのだけれど、……途中で転んで足に怪我をなすったのよ」

「それはお気の毒な、……傷は重いのか」

「いまお手当をしてあげたわ、今夜ひと晩泊めてあげたいのですけど、いいわね」

「そんなこたあ訊くまでもねえ」

「それに、……そのお屋敷から追手が掛っているのよ。いいえ、なにも悪いことをし

た訳じゃないの、約束の年期が切れないのに逃げだしたっていうので、それで追手を寄越したんですって」

「そんな無道理なお屋敷が今でもあるのかなあ、お侍の家風もだんだん悪くなるばかりだ。……湯をとって呉んな」

「はい唯今《ただいま》。……お父っさん、その追手が来たら匿ってあげて下さいましね」

「いいとも、おらに任せて置け」お文が洗足盥《せんそくだらい》へ湯を汲《く》んで来たとき、……坂を登って来る四五人の人声が聞えた。

「あ！　追手だわ」お文は盥を其処《そこ》へ置くと、「金之助さま、早く」

「お文、納戸へ入れてあげろ、空き葛籠《つづら》の中へ入って、壁にある熊《くま》の皮を上から……」

「ええ分ったわ」

上へ駈《か》けあがったお文は、金之助を援け起して納戸へ入って行った。

三

「明けろ、明けろ」

雨戸を叩《たた》きながら呼び立てる、そのひと声ずつがお文には、まるで胸へ錐《きり》を揉込《もみこ》まれるように思えた。

「明けないか！」

「どうぞお明け下さいまし」太兵衛はお文に手伝わせて、態《わざ》とゆっくり足を洗いながら云った。

「山家《やまが》のことで別に鍵《かぎ》もございませんから」

半分まで聞かず、荒々しく戸をひき明けざま、五人の侍たちが土間に入って来た。

「なにか御用でござりますか」

「……此処へ少年が一人来た筈《はず》だ」先頭にいた一人が、簑の下で大剣の鍔元《つばもと》をぐっと握りながら云った、

「我々は足跡を跟《つ》けて来たのだ、この雪で他《ほか》へ行く筈はない、来たであろうな」

「隠しでもするとその方共のためにもならんぞ」

「何処《どこ》にいる、出せ！」

侍たちの喚《わめ》きたてるのを、太兵衛は静かに聞いていたが、

「この通り狭い山家で、隅から隅までお見通しでございます、わ、わ、わしもいま町から帰って来たばかりですが、……その足跡というのはわしのではございませんか」

「黙れ、そんな子供騙《だま》しに乗る我々ではない」

「ええ面倒だ、家捜《やさが》しをしろ」

止める隙《すき》もない、そう叫ぶと共に、五人の侍は土足のまま上へとび上った。……見るなりお文はあっと声をあげようとしたが、太兵衛はそれを眼で叱って、

「どうぞ御存分に」と平気な声で云った、「……障子の向うが台所、右の襖《ふすま》は納戸でございます。剝《む》いたばかりの熊の皮がございますから、お手を汚さぬようになさいまして」

――神さま、どうぞお護《まも》り下さい。

お文は固く眼を閉じて祈った。――どうぞ金之助さまが御無事でありますように、あの子はお国のために命を捨てて働いているのです、どうぞお護り下さいまし。

一秒が一日ほどの長さにも思えた。

侍たちは有《あら》ゆる物を引繰《ひっく》り返し、どんな隅をも残さず突き廻《まわ》した。納戸の中とて同様である。然《しか》し「剝《む》いたばかり」という熊の毛皮には、さすがに無気味で手がつけられなかったのか、やがて失望した様子で出て来た。

「いないらしい」「とすると石谷《いしがや》の方へ行ったのか知れぬ」

「足跡はたしかに此方《こっち》だったが」

そんなことを呟《つぶや》きながら、五人とも土間へ下りる。とたんに……納戸の中から、金

之助の声で、

「もう行きましたか」

と云うのがはっきりと聞えて来た。

みんな一時に振返った。太兵衛も、お文も、もう駄目《だめ》だと思った。……五人の侍はそれより疾《はや》く、脱兎《だっと》のように納戸へ殺到した。

——神さま！

お文はぎゅっと胸を抱き緊《し》めた。

然しがらっと襖を引明けたとき、納戸の中から烏の勘太が、ばたばたと烈しく羽風をたてながら飛びだして来たので不意を食《くら》った五人の侍たちはあっと身を退《ひ》いた。

「もう行ったか」

勘太はそのままひょいと止木《とまりぎ》へおりながら叫んだ。……いまの金之助の声によく似ている、

「くうくう、もう行ったか、行ったか」「…………」

「お文、起きねえか、夜が明けたぞ。くうくう、かっかっ、お文、もう行ったか」侍たちは茫然《ぼうぜん》と、眼を瞠《みは》ったまま勘太の叫ぶのを見戍《みまも》っていた。……救われたのである、お文はほっと太息をつきながら、

「わたくしの鳥でございますの」

と侍たちに説明した、「……よく人声を真似ますので、皆さんがたびたびお間違えになりますわ、勘太、此方へおいで」

「なあんだ、人真似鳥か」

侍たちは苦笑しながら、

「まるで鸚鵡《おうむ》のようなやつだな」

「吃驚させ居《お》った」

そう云って土間へ下りた。……そして、そのまま立去ろうとしたが、中の一人が戸口で振返ると、

「騒がせて気の毒だったな、許して呉れ。その少年というのは勤王浪士の手先なのだ、若しみつけたら捕えて呉れ」

「勤王浪士の手先ですと」

「斬《き》り倒しても御褒《おほめ》が出る、銀十枚だぞ」

そう云って侍たちは立去った。

太兵衛はそれを見送ってから、炉端へ坐《すわ》ってお文を側《そば》へ呼んだ。……そして町から買って来た包を解きながら、

「それ、お土産だぞ」

「まあ……あたしに？」

「明けてみろ」

お文は外でまだ侍たちが聴いているかも知れないと思ったので、態《わざ》と大きな声をあげながら包を解きにかかった。

四

包の中から出たのは貧しい土の雛《ひな》人形だった。

「あらお雛さまね。……まあ可愛《かわい》いこと」

「安物だがな、もう直《す》ぐお節句だから買って来たのよ、安物で気に入るまいが」

「いいえ、いいえ！」

お文は小さな雛を犇《ひし》と胸へ抱き緊めながら、

「嬉《うれ》しいわお父っさん、あたし欲しかったの、ちょうどこんなくらいなのが欲しかったのよ。嬉しい……あたし泣きそうになってしまうわ」

「そんな物が、そんなに嬉しいか」

太兵衛はふっと眼をうるませた。

「……尤《もっと》もおまえには貧乏ばかりさせて、今日まで紙人形ひとつ買って遣《や》れなかったからな。金さえあれば大きな雛段へ、いっぱいお雛様も買ってやれるし、綺麗《きれい》な着物だって、紅白粉《べにおしろい》だって、髪油も簪《かんざし》も、なんでも好きな物を買って遣れるんだが、おらはこの通りしがねえ猟人だから」

「いや、いやよお父っさん、そんなこと云うとあたし怒るわ。あたしお父っさんが丈夫でいつまでも父娘《おやこ》仲良く暮せたらそれがいちばん仕合せなんですもの」

「仕合せというものをおまえは知らないからそう云うんだ、本当の仕合せというのはな……」

云いかけたまま、ふと太兵衛は言葉を変えた。

「お文……もういいだろう」

「お客さま?」

「お侍たちはもう谷へ下りた時分だ、おまえは早く支度をさせて、今のうちにお逃し申しな、この裏から鷲尾の峰を越えて行けば神庭へ出られる、あの猫岩《ねこいわ》の道をよく教えてあげろ」

「お父っさんはどうするの」

「おらは谷の方を見張ってる。……また戻《もど》って来ると面倒だから早くしろよ」

そう云って太兵衛は出て行った。

お文は直ぐに納戸から金之助を連れ出して来た。……金之助はさっきの失敗を恥じている様子で、顔を赤くしながら詫《わ》びた、

「済みません、息が苦しかったものだから」

「いいのよ、勘太が大変なお手柄《てがら》をしたから却《かえ》って疑いを晴したくらいですわ。それより……直ぐお立ちなさいまし」

「そうします、御迷惑をかけました」

「お泊めしたいのだけれど、また戻って来ないとも限りませんから、今のうち逆の方へ逃げる方がいいわ」

云いながら手早く身支度をしてやる。……少年は傷ついた右足を曳《ひ》くようにして、然し元気な様子で裏口へ出た。

「その雑木林の中に道があるでしょ、林が明いているから分ります、それを真直《まっすぐ》に登ると左に猫のような形をした岩が見えますわ、その岩の向うを右へ登るとこの山の峰ですから、それを越して谷沿いにいらっしゃい、そうすれば神庭へ行けます」

「分りました、ではお別れします」

「どうか御無事で……」

「今夜の御恩は忘れません、若《も》し生きていられたら、いつかまたお眼にかかりに来ます」

「待っていますわ、金之助さま」

「では左様なら、お姉さん」

金之助は、泪《なみだ》にうるんだ眼で昵《じっ》とお文の顔を見戍《みまも》った。……お文も少年の眼を、まるで自分の頭に焼付けたいとでもいうように瞶《みつ》めた。

金之助は去って行った。

雪のなかを、片足を曳きずりながら、それでもかなり敏捷《びんしょう》な足どりで去って行った。……お文は長いあいだ見送っていたが、やがて力の抜けたような気持で家へ入った。

――到頭、行ってしまったわ。

そう思ってふと気付くと、父親がまだ帰っていない。……まだ表で見張っているかと、急いでみたが、表にも姿が見えなかった。

「お父っさ――ん」

お文はなんども呼んでみた。

然し自分の声が木魂《こだま》を返すばかりで、何処からも父の返辞は聞えて来なかった。

……お文は急に不安になった、「金さえあったら」と呟いていた父の顔つきと、

――褒美《ほうび》には銀十枚やる。

と云った時の言葉とが頭の中で渦《うず》を巻いた。

お文は家の中へとび込んだ。……鉄砲が無かった、さっきまで壁に架けてあった鉄砲が見えない。お文は身を震わせて立竦《たちすく》んだ。

「お父っさんは、……お父っさんは」

鉄砲を持って少年を狙《ねら》っている姿が見える。

勤王浪士の手先、銀十枚の褒美。……太兵衛がこれを見逃す筈はない、彼はいま鉄砲を持って金之助を狙っている。お文は狂気のように裏口からとびだした。

「いけない、あの人を射《う》っては、……あの人はお国のために働いているんです、お父っさん」

お文は雪のなかを、毬《まり》のように転げながら走って行った。

五

明治五年の秋のなかばであった。

麻買い商人《あきんど》と見える旅人が二人、曽《かつ》て野猪《のじし》の太兵衛とその娘の住んでいた家の横手で、小さな墓石を見ながら、土地の農夫の話を聞いていた。

「……それで娘は、その子供の身代りになって、鉄砲に射たれて死んでしまったのです。親父《おやじ》の太兵衛は野猪という綽名《あだな》のある暴れ者でしたが、自分の射ったのが娘だということを知ると、その場から行方知れずになってしまいました。……なんでも高野山へあがって坊主《ぼうず》になったとか、雲水姿でお遍路をしているとか申しますが、本当のところはいまだに分らないのでございますよ」

「さても気の毒な話だ」

旅人たちは溜息《ためいき》をつきながら、

「御維新になるまでは、色々な人が色々苦労や悲しいめに遭ったのだな。……まあお花でも供えて行くとしよう」「いい土産話ができました、お礼を申します」

二人は道傍《みちばた》から野菊を折って来て供えると、小さな墓の前へぬかずいて唱名《しょうみょう》したのち、農夫と一緒に坂を下って立去った。

すると程なく、いま旅人たちの去った方から、陸軍中尉《ちゅうい》の軍服を着た青年が一人、足早に登って来て太兵衛の家の前に立った。色白で、眼の美しい美青年である、

「……ああいない」

立ち腐れになった家をひと眼見て、如何《いか》にも落胆《がっかり》したように青年は呟いた。

「出世した姿を見て貰《もら》い、あの晩のお礼も云いたかったのに。……やっぱり、会えな

い気がしていたのが本当になった、残念だな」

梶金之助である。

今では陸軍中尉で、大阪鎮台に勤務しているが、賜暇《しか》を貰って土佐へ帰る途中、この津山へ廻《まわ》って来たのであった。……彼はなにも知らない、お文が自分の身代りになって父に射たれたことも、太兵衛が行方知れずになったことも、なにも知らないのである。

曽て危い命を救われた家は荒れに荒れ、あたりは芒《すすき》が生い茂っている。……金之助は去り難《がた》い様子で、やや暫《しばら》くのあいだ廃屋の周りを歩いていたが、やがて思い切ったように、然し渋りがちな足どりで元来た方へと去って行った。

静かである……。

山のよく澄んだ空気に、秋の光が匂《にお》うほど輝いている。時おり微風が来ると、樹々《きぎ》の枝から枯葉がはらはらと散り落ちる。

「……くうくうくう」

低い鳥の喉声《のどごえ》が聞えた。

誰《だれ》も気付かない墓の横手に、一羽の烏が寒そうに身を竦めている。……散り落ちる枯葉が乾いた音を立てると、彼はつむっていた眼を明け、身震いをして叫ぶ、

「お文、起きねえか、……お文」

ひどく嗄《しやが》れた声であった。「もう夜が明けたぞ、起きねえか、お文」

さあっと枯葉が渦を巻いた。……鳥は再び眼をつむった。まるで墓守りでもあるかのように、いつまでも其処に立つくしていた。

（「少女の友」昭和十五年二月号）

与《よ》茂《も》七《しち》の帰藩

一

金吾三郎兵衛は「白い虎《とら》」と呼ばれている。

三河ノ国岡崎藩の大番頭《おおばんがしら》の三男に生れ、昨年の春この彦根藩の金吾家へ婿《むこ》に来た。金吾五郎左衛門は四百石《こく》の御具足奉行で男子が無かったため、一人娘の松子に三郎兵衛を迎えたのである。……然《しか》し直《す》ぐ婿の気質を見て取った五郎左衛門は、

——当分のあいだ二人で暮すが宜《よ》かろう。

と云《い》って、城へは少し遠かったが、松原の湖畔にある別屋敷を夫婦の住居に与えてやった。……其処《そこ》には僅《わず》かな召使しかいなかったし、殆《ほと》んど近所との往来も無かったので、一年余日は極めて暢気《のんき》に新婚生活を送ることが出来たのであった。

三郎兵衛の風貌《ふうぼう》はどちらかというと女性的であった。色白で眉《まゆ》が細くて、躰《からだ》つきもすんなりとしている、殊《こと》に睫《まつげ》の長い眼許《めもと》や、いつも油を附けているような艶々《つやつや》とした髪などは、通りすがりの人眼を惹《ひ》くほど美しかった。……ところがその艶冶《えんや》な風貌とは凡《およ》そ反対に、彼の性格はひどく粗暴で峻烈《しゅんれつ》だった。

無論そう云っても、ただ訳もなく粗暴なのではない。彼は中村流の半槍《はんそう》をよくする

し、また一刀流の剣を執っては、彦根へ来て半年も経《た》たぬうちに藩の道場「進武館」の筆頭の席を占めたくらいであるが、その半槍も刀法も極めて荒く、どんな段違いの相手に向っても遠慮とか加減とかいうものがない。

——武道に手加減があって堪《たま》るか。

理窟《りくつ》は正にその通りだが、彼の峻烈さはその道理を遥《はる》かに越していた。進武館の筆頭となってからは、儕輩《さいはい》を押えているという感じから来る一種の驕慢《きょうまん》さが、どうしようもなく彼の態度に表われた。近頃《ちかごろ》の彼は道具を着けず、素面素籠手《すこて》で道場へ出るようになった。……彼が袴《はかま》の股立《ももだち》も取らず、竹刀《しない》に素振をくれながらまん中へ出て来て、

——さあ誰《だれ》か来い、稽古《けいこ》をつけてやる。

と喚《わめ》く姿は実に颯爽《さっそう》たるもので、綽名《あだな》の「白い虎」という意味がぴったり当っていた。

——高慢な面《つら》だ。

——新参者の分際でのさばり過る。

——いちど音《ね》をあげさせてやれ。

そういう嫉視《しっし》と反感が集って幾度か腕力沙汰《ざた》があった。然しその度に辛《から》き目をみる

のは挑《いど》んだ方の連中で、三郎兵衛はその強さと、胆《きも》の太さで益々《ますます》藩士たちを圧倒して行くばかりだった。

かくて湖畔に初夏が訪れて来たとき、藩士たちが手を拍《う》って喜ぶ事件が起った。

その日。……三郎兵衛が進武館の道場へ出て、竹刀を取ろうとすると、筆頭であるべき自分の物が一段下に下げられ、昨日まで自分のがあった場所に見慣れぬ竹刀が架けてあるのをみつけた。

「誰だ、こんなことをしたのは」彼は振返って叫んだ、「金五郎、この竹刀はどうしたんだ。……なぜ黙ってる、誰がしたんだ」

「そ、……それで宜いんですよ」

門人たちの雑用をする少年が怖々と答えた。

「なに、これで宜いんだと、馬鹿《ばか》め、貴様なにを寝呆《ねぼ》けているんだ、十六歳にもなって竹刀の順序も知らんのか、それとも……」

「そうだよ」滝川伝吉郎が意味ありげに立って来た。そして態《わざ》と三郎兵衛の耳に口を寄せながら、「それで宜いんだよ金吾、その上の竹刀はそっとして置くがいい」

「はっきり云え、どうしたというんだ」

「その竹刀には触らぬ方がいい」

「そうだ、そうだ」

向うに並んでいる連中も、それにつけて一斉《いっせい》に云った。

「その竹刀に手を附けてはいけないぞ」

「手を触れば手、足を触れば足が飛ぶ」

「それだけはそっとして置くがいい」

三郎兵衛はぐるっと見廻《みまわ》した。……みんな何か意味ありげな擽《くす》ぐったそうな眼つきをしている、今まで感じたことのない空気だった。

「訳を云え、この竹刀がどうかしたのか」

「帰って来たんだよ」伝吉郎がさも秘密なことを明すように、耳へ口を寄せて囁《ささや》いた、「与茂七《よもしち》が帰って来たんだ」

「何者だと？」

「与茂七だ、斎東与茂七が江戸から帰って来たんだ。貴公がいま『虎』と云われているように、彼は三年前まで進武館の『野牛』と云われていた、乱暴者で喧嘩《けんか》早くて、高慢で癇癪《かんしゃく》持ちで、いちど怒らしたら血を見るまでおさまらぬという男だ。……いいか金吾」伝吉郎は一層その声をひそめて、「その竹刀は彼のだ、それに触ってはいけない、また彼が出て来たら温和《おとな》しくするんだ、与茂七には構うんじゃないぞ」

「……そうか」

三郎兵衛はにやりと頷《うなず》いた。……そして与茂七のだという竹刀を取ると、道場のまん中へがらがらと抛《ほう》り出して叫んだ。

「誰でもいいから、与茂七という男が来たら拙者に知らせて呉れ、……それから、その竹刀に手を附ける奴《やつ》は許さんからそう思え」

二

「会うことは出来ぬと仰《おお》せられます」

「どうしたんだ、御機嫌《ごきげん》ななめか」

与茂七がけろりとした顔で云うのを、家扶の仁右衛門老人は気の毒そうに見て、

「御立腹ですぞ、なにしろ江戸の事は一々こちらへ通知が来ておりましたからな、一時は叔父甥《おい》の縁を切るとまでお怒りでございました」

「誰がそんな余計な世話をやいたんだ。江戸ではずいぶん慎んでいた積りだがなあ」

「貴方《あなた》の慎むは当《あて》になりません、軽部様の腕を折ったり、御老職の玄関で三日も居据《いす》わったり、町人共と喧嘩をして七人も怪我《けが》をさせたり、牢役人《ろうやくにん》に金を摑《つか》ませて罪人の首を斬《き》ったり、……この仁右衛門が伺っただけでも、まだまだ数え切れぬほどござい

ますぞ。これでは困ります、これでは御立腹が当然でございます」

「ちょッ、誰がそんな、そんな詰らぬ事を一々告げ口しおったんだ。……備後か」

「誰でも差支《さしつか》えございません。彦根に置いては駄目《だめ》だ、江戸へ出して広い世間を見せたら、行状も改るであろうという思召《おぼしめし》でなすった事が、江戸へ出ても同様どころか輪を掛けたお身持ではございませぬか、こんな有様では」

「いいよいいよ、もう沢山だ」与茂七は手を振りながら刀を引寄せた、「仁右衛門の小言を聴いたって仕様がない、御立腹なら押してお眼にもかかれまいが、……ではおまえから宜《よろ》しく申上げて置いて呉れ、またお怒りの解けた時分に参上仕《つかまつ》ると」

「貴方さえ御素行をお慎みになれば、お怒りは直ぐに解けまする」

「己《おれ》だけ慎んだって仕様がないさ」与茂七は又けろりとして云った、「己だって山猫《やまねこ》でも狼《おおかみ》でもないから、相手なしに暴れる訳じゃないんだ、幾ら己が謹慎していようと思っても、側《はた》から馬鹿共が来て突きたてるんだから仕様がない、それでも叱《しか》られるのはいつも己と決ってる、いつも己だ、……小さい時分からそうだった、誰かが泣くとそら与茂七、誰かが木からおちるとそら与茂七、赤ん坊が泣いても己が腕でも捻上《ねじあ》げたと思ってる。……これではとても凌《しの》ぎがつかないぞ仁右衛門」

「……なるほど、貴方様はいつも、お部屋にじっとしておいでなされましたからな」

仁右衛門は苦笑しながら首を振った。

「全くいつもいつもお机の前で、膝《ひざ》に手を揃《そろ》えて御書見ばかりあそばしていましたからな、そんな言を云う世間は怪《け》しからぬ次第です」

「もう宜いよ、饒舌《しゃべ》っただけ損をした」

与茂七は立上って、尚《なお》も繰返して意見をする仁右衛門と共に玄関へ出た。

門を出て、さてどうしようかと迷っていると、いま登城するところと見えて、旧友の榊《さかき》市之進が、下郎を従えて此方《こちら》へ来るのをみつけた。……白く乾いた道に、陽《ひ》はもうぎらぎらと強くなっている、市之進は扇を額にかざしているので、側《そば》へ近づくまで知らずにいた。

「やあ帰ったか、いつ？」

「昨夜だ、遅かったので何処《どこ》へも挨拶《あいさつ》に出なかったんだ。いま此処《ここ》へ来たんだが、……到頭お出入り差止めを食った」

「そうだろう」市之進は笑いもせずに頷いた、「作左衛門殿は一徹人だし、貴公はまた、……いや、こんな話を今更したところで仕方がない、今日は早く下城するから拙宅へ来て呉れ」

「よし、鶏を二三羽つぶして行こう、江戸のまずい鶏には弱ったよ、酒を頼むぞ」

「相変らずだな」別れようとして市之進がふと、「これは念のために云って置くのだが、金吾の松子さんに婿が来たのを知っているか」

「……松子に婿が」

与茂七の額がすっと白くなった。……市之進はその白くなった額から眼を外らして、

「岡崎の大番頭の三男で三郎兵衛という、来てから一年とちょっとになるが、今では すっかり進武館の筆頭を押えている、少し烈《はげ》し過ぎるのが難だが頭も良いし、……金吾殿も松子さんも満足のようだ」

「そうか、……それは。いい婿がみつかって、よかったな」

「貴公も祝ってやるべきだな」

そう云って市之進は別れた。

与茂七は射しつける日光が眩《まぶ》しいのであろう、眉の上へ手をかざしながら、暫《しばら》く途方に暮れたような足取りで歩いていた。……日に焦《や》けた健康そのもののような頬《ほお》に、髭《ひげ》の剃《そ》り跡が青々としている、眉太く鼻大きく、ひき結んだ唇《くちびる》は強情我慢を絵に描《か》いたようだ。

斎東の家は彦根藩でも出頭《しゅっとう》の家柄《いえがら》であった、彼は父茂右衛門の末の子であったが、上の兄姉が三人とも夭折《ようせつ》したので、ひどく我儘《わがまま》に甘やかされて育った。そのためばか

りでもあるまいが、もう四五歳の頃から腕力では群を抜き、「斎東の悪童」と云って、彦根中の親たちから眼の敵《かたき》にされ始めた。

三

九歳のとき母を喪《うしな》い、十三で父を亡《な》くした彼は、二十一歳の秋まで叔父の当麻作左衛門に引取られて育った。……然しそうした境遇に在りながら、彼の持って生れた明けっ放しな性格と、その不屈な負けじ魂とはいささかも変らず、寧《むし》ろ益々増長するばかりだった。

彼は力が強く、また武芸には天才的な才能を持っていた。なにしろ十八の年から二十五歳で江戸へ去るまで、進武館の筆頭として代師範を勤め通したくらいであるが、その反面には「斎東の悪童」とよばれた本領を遺憾なく発揮して、良い意味にも悪い意味にも、彦根藩の圧倒的存在になった。……当麻作左衛門はずいぶん骨を折って甥の性格を撓《た》め直そうとしたが、結局は違った世間を見せて、つまりもっと烈しい人生の風に当ててやるより仕方がないと考え、彼を江戸詰にしたのである、けれど其処でも彼の奔放な性格を抑えつけるものはなかった。寧ろ狭い池から海へ放たれた鯱《しゃち》のように、羽を伸ばして存分に暴れ廻ったのである。

三年のあいだに「御叱り」を受けること四度、謹慎を命ぜられること五度という、活《いき》のいいところを見せて、再び帰って来たのであった。

「さて、……」与茂七は辻《つじ》へ来てふと立止った、「それでは金吾へは行けずか、……叔父殿御立腹で当麻は門止めと来た、こいつは帰来風雪厳しというやつだぞ。……仕様がないから進武館でも見舞うか」

彼は辻を右へ曲った。

進武館では竹刀の音が元気に響いていた。……彼は別棟《べつむね》になっている師範の住居を訪れ、恩師鈴木中通に帰藩の挨拶を述べた後、道場へ出掛けて行った。……其処では三十人ほど稽古をしていたが、与茂七が来たのを見ると、みんな一斉に止めて、面を脱《と》りながら脇《わき》へ居並んだ。

「やあみんな暫くだな」与茂七は無造作に手をあげて、「また帰って来たから宜しく頼むぞ。田越どうだ、幾らか上達したか、芹沢はどうだ、赤ん坊も三年経てば三つになる、少しは物になりそうか、どうだ楯岡。……ひとつ久し振りにぐるっと揉《も》んでやろう。金五郎」

「はい」

「ほう……貴様大きくなったな、幾つだ」

「十七です」

とび出して来た金五郎は、照れたように顔を赤くした。与茂七はその頭をひょいと押しやりながら、「もう元服だ、確《しっか》りしなくちゃ駄目だぞ、己の道具を持って来い、手入れはちゃんとしてあるだろうな」

「ええちゃんと綺麗《きれい》にして置きました」

金五郎と一緒に去った与茂七は、稽古道具を着けて出て来ると、竹刀を取ろうとして近寄った。……然し当然そこにあるべき自分の竹刀が無い。

「おい、己の竹刀はどうした」

与茂七が振返って叫ぶと。……二三間離れた処《ところ》で、さっきからじっと彼の動作を見《み》戍《まも》っていた三郎兵衛が、「貴公の竹刀なら、彼処《あそこ》にある」と云って脇の方へ顎《あご》をしゃくった。……与茂七が見ると、隅《すみ》の方に見覚えのある自分の竹刀が抛りだしてあった。

「誰だ、己の竹刀を抛りだしたのは」

「……拙者だ」

三郎兵衛が答えた。

みんなすわとばかり息をのんだ。……与茂七は投出してある竹刀と、門人たちの異様な視線と、それから相手の顔を見た。

三郎兵衛の白晳《はくせき》の顔は、嘲《あざけ》りと侮蔑《ぶべつ》と、明らさまな挑戦《ちようせん》の意を表白している。彼は足を踏開いて立ち、竹刀を右手にのしかかるような構えで与茂七を睨《にら》んでいる、正に「心驕《おご》れる虎」といった姿だ。

与茂七の太い眉がきりきりと吊上《つりあが》り、ひき結んだ唇がぐいと歪《ゆが》んだ。……二十八年の今日まで、彼は一度もこんな立場に廻った例はない、彼は常に覇者《はしや》であり、征服者であった。敢《あえ》て戦を挑《いど》んだ者があったとしても、それはすべて畏惧《いく》と恐怖を伴ったものであった。……然るに今、眼前に傲然《ごうぜん》と立っている男はどうだ、その端麗な顔にも、柔軟な線を持った女性的な躰《からだ》にも、与茂七を恐れる色は微塵《みじん》もない、寧ろそこには剃刀《かみそり》の刃のように冷たく、且《か》つ峻烈な敵意と軽侮の念が溢《あふ》れている。……彼は与茂七のものと知って竹刀を抛りだし、

――己がしたのだ。

と真正面から挑んできた。

与茂七の大きな眼は相手の眼を見た、それから肩を見た、竹刀を提げている右手から、のしかかるような身構えを見た。……それが終ったとき、彼はにっと微笑しながら、「うん、なかなか骨がありそうだな」と静かに云った、「斎東与茂七の前でそれだけ云えるのは頼母《たのも》しいぞ、……だが貴様の顔には見覚えがない、新参者か。まだ拙者

を知らないのだな」

四

「知っている、よく知っているよ」

「……本当に知っているか」

「野牛と呼ばれた乱暴者だそうな、彦根の小さな井戸からはみ出た蛙だそうな」

与茂七はずかずかと行って竹刀を拾った。そして大股《おおまた》に戻《もど》って来ると、ぴゅっとそれに素振りを呉れながら、「よし、蛙の手並を見せてやる。名乗れ」

「待兼ねた。……拙者は金吾三郎兵衛」

名乗りながら、三郎兵衛はさっと二三間うしろへ跳退《とびしさ》った。然しその名を聞いた刹那《せつな》、与茂七はあっと眼を瞠《みは》った。

「金吾……金吾、三郎兵衛、……貴様が」

「来い、そこらの木偶《でく》とは少し違う、岡崎の人間には胆玉《きもったま》があるからそのつもりで来い」

与茂七は答えなかった。

答えないばかりでなく、満面に血を注いだままじっと三郎兵衛の顔を瞶《みつ》めていたが、急に外向《そむ》くと、竹刀をそこへ抛りだし、大股に支度部屋の方へ立去って行った。

「斎東、どうした」三郎兵衛は片手をあげながら叫んだ、「試合は止《や》めか、逃げるのか、この三郎兵衛が恐ろしくなったのか、……卑怯者《ひきょうもの》」

然し与茂七は去ってしまった。

余りに意外な結果である。門人たちはまるで化かされたような気持で、然しそれにしてもこのまま無事に済む筈《はず》はないという期待で、暫くは黙って立尽していたが、やがて与茂七が進武館の門から逃げるように出て行くのを見ると、……急にざわざわと驚愕《きょうがく》の囁《ささや》きを交わし始めた。

「あれが野牛か」三郎兵衛は冷笑しながら叫んだ、「あれがみんなの怖《おそ》れていた与茂七という男か、その竹刀に触るなと云ったのは滝川だったな、伝吉郎……おまえ人違いをしたんだろう」

「い、いや、いやたしかに」

「人違いじゃないと云うのか、ふん」三郎兵衛はぴゅっ、ぴゅっと憤懣《ふんまん》を遣《や》るように竹刀を振って叫んだ、「何方《どちら》でもいいが彼奴《あいつ》は逃げたぞ、みんないまの恰好《かっこう》をよく覚えて置くんだ。さあ来い、……詰らぬ事で暇を潰《つぶ》した、稽古を続けよう」

そういう結果に成ろうとは、むろん三郎兵衛も予想していなかった。最後に、

——卑怯者。

と叫んだ時には、理由の如何《いかん》に拘《かか》わらず相手は引返すものと思ったし、事に依《よ》ると勝負に命を賭《と》さなければならぬと覚悟もした。……然し相手は引返して来なかった、武士なら聞流すことの出来ぬ言葉を、相手は耳にもかけず去ってしまった。

——評判ほどにもない奴だ。

彼は満足した感じでわらった。

それは慥《たし》かに一種の満足感であった、ふだん喜怒を色に出さない彼が、家へ帰るなり出迎えた妻の松子に、「やあ、今日はおめかしでばかに美しいな」と上機嫌《じょうきげん》に声をかけて狼狽《ろうばい》させた。

「珍しく御機嫌が宜しゅうございますこと」

「そう見えるか」

「なにか御首尾のよい事でもございましたか」

「首尾はいつでも上々だ、なにしろ今日は」

と云いかけたが、さすがにそのあとは口に出せなかった。同時にふいと、

——いい気になっている。

という感じが来た。

不愉快な感じだった。……するとその不愉快さの底からその時まで考えもしなかった疑惑が頭を擡《もた》げて来た。それは、与茂七が彼を怖れて逃げたのではなくて、寧ろ彼を無視したのではないかという疑いである。

――そうだ、それを考えなかった。

彼の満足感は惨《みじ》めに傷《きず》つけられた。そして、いちど頭を擡げたその疑惑は、彼の心に蛇《へび》の如《ごと》く絡《から》みつき、ざらざらした胴でいつまでも神経を撫《な》であげて来た。急に不機嫌になった良人《おっと》の眼から、若い妻は逃げるように次の間へ去った。

――慥かめてやる。

彼は妻の姿が襖《ふすま》の彼方《かなた》へ去るのを見戍りながら呟《つぶや》いていた。

――そいつを慥かめなければならん、彼奴の頭を眼前に垂れさせぬうちは。

三郎兵衛のような男がそう覚悟した以上、それを実行に移す場合は極めて執拗《しつよう》だし、また思い切ったものである、……彼はその翌日、御殿下にある斎東の家を訪れて面会を求めた。

家士はいちど奥へ取次いだ後、「折角ですが、主人は他出中でございます」と明かに居留守を使った。

「では御帰宅まで待たせて貰《もら》おう」

「それが、帰藩の挨拶に諸方へ廻りますので、戻りはいつになるやら知れません。失礼ながらまたお訪ね下さるよう」

「そうか。……ではこう伝えて呉れ」三郎兵衛は冷笑しながら云った、「昨日の勝負をつけに金吾三郎兵衛が参ったと、よいか。然し留守を使われては致方がない。向後《こうご》は出会ったところで遣るから、充分に覚悟をしていて貰いたい。……分ったか」

「左様申伝えます」

家士は嚙《か》みつきそうな眼をしていた。

五

与茂七は彼の前に姿を見せなかった。

明かに避けているらしい、三郎兵衛は出来るだけ会いそうな機会を狙《ねら》いつつ、一方では嘲弄《ちょうろう》と侮蔑の言葉を撒《ま》きちらした。

そうでなくても、家中《かちゅう》の者たちは与茂七と三郎兵衛とを対立させて考えていた。白い虎と野牛とがどう闘うか、何方が勝つか、これは与茂七に抑えられ三郎兵衛に手を焼いていた人々にとって、最も興味のある、そして見遁《みのが》すことの出来ぬ好主題であった。何方が勝ち何方が負けてもいい、然し必ず二人は闘わなくてはならぬ、そして何方かが覇者の冠を叩《たた》き落されなければならないのだ。

――きっとやるぞ！

――やらずにいるものか。

みんな眼を瞠って待っていた。

然し期待していた事は次第に怪しくなって来た。先《ま》ず進武館での出来事が伝わり、居留守の件が伝わり、三郎兵衛の放つ悪声が止度《とめど》もなく家中に弘《ひろ》まるのに、当の与茂七は膿《う》んだとも潰れたとも云わないのだ。……帰藩の挨拶廻《まわ》りを終ると共に、与茂七はひっそりと音を殺してしまった。

――どうしたんだ、斎東は生きてるのか死んだのか。

――虎が嘯《うそぶ》いているのに野牛は穴籠《あなごも》りか。

――野牛は角を折ったらしいぞ。

華々しい勝負を予期していた人々は、そろそろ待ちくたびれたかたちで、しきりに与茂七の下馬評を始めた。評判は悪くなる一方である、……然し依然として何事も起らず、二十日ほど経《た》って六月三日が来た。

毎月三日は礼日で、藩主は江戸在府中であったが、家中総登城の日である。

三郎兵衛はこの日を待っていた。与茂七は当時無役であったが礼日の総登城を欠くことは出来ない、城中衆人環視の中で、のっぴきならぬところを抑えてやろうと決めたのである。……彼は早く登城をして遠侍に待構えていた。

人々は直ぐにそれと見て取った。

「おい見ろ、虎が今日こそやるぞ」

「なるほど牙《きば》が鳴ってるな」

「与茂七も今日は逃げを打てまい」

「みんな遠巻にして離れるな」

そんな言葉が耳から耳へささやかれた。眼という眼がいつか遠侍の広間に集った。

与茂七が登城したのは九時近くであった。……そら来たという人々の無言のざわめきも感じない様子で、彼は静かに嘉礼《かれい》を言上しに上り、間もなく下って来たが、そのまま長廊下を退出して行こうとした。

三郎兵衛はすばやく立ち、「斎東氏《うじ》お待ちなさい」と呼びかけながら、小走りにやって来て行手へたちふさがった。

――そら始まるぞ。

待ちかねていた人々は鳴りをひそめ、耳と眼とを一斉《いっせい》にこの二人へ集中した。……

与茂七は立止って静かに相手を見た、三郎兵衛は昂然《こうぜん》と右の肩を突上げながら、

「過日、進武館の勝負が預りになっている、再三会いたいと念じているが、居留守を使ったり逃げ廻ったり、遂《つい》に今日までその機を得ないで来た、……今日こそ片をつけるからそう思って貰いたい、これから同道しよう」

「その必要はない」

与茂七は眼を伏せたまま答えた。

「あの勝負は拙者の負だ、今更……」

「いやいかん、勝ち負けは立合ったうえでなくては分らぬ。まして世間には、貴公が立合わぬのはこの三郎兵衛を取るに足らぬ相手と見ているのだという風評もある、このままでは拙者の武道が立たん、今日は是非とも勝負をするのだ」

「どういう風評があるか知らぬが、このように満座の中で負だと申す以上、貴公の勝はもう確実だ。……通して貰いたい」

「通さぬ、通さんぞ！」三郎兵衛は両手をひろげた、「貴公に若《も》し武士の面目があるなら立合え、口先で百万遍負けたといっても事実の証《あか》しにはならん、先ず事実だ、出よう」

「なんと云われても拙者には無用だ」

「無用だと、斎東、貴公この三郎兵衛をそれほど軽侮する気か」

「軽侮ではない、ただ無用だと云うのだ」

「無礼者!」三郎兵衛は叫びながら詰寄った、「無用とはなんだ、拙者は物乞《ものご》いをしているのではないぞ、貴様は武士の作法を知らんのか、武道の立合いを挑まれて応ずることも出来ず、臆面《おくめん》もなく無用などとは、貴様……それでも両刀に恥じないのか」

「待て金吾」

榊市之進であった。……彼は見兼ねたのであろう、とび出して来ると、そう叫びながら三郎兵衛を羽交い絞めにして、

「場所柄《ばしょがら》を考えろ、城中だぞ」

「放して呉れ、彼奴……」

「鎮《しず》まれ、話がある、金吾、見苦しいぞ」

強引に絞めあげながら伴《つ》れ去った。……与茂七は静かに退出して行ったが、人々は彼の拳《こぶし》がわなわなと震えているのを見逭《みのが》さなかった。

六

その日の灯点《ひとも》し頃《ごろ》に、三郎兵衛の妻松子が与茂七の家へ訪れて来た。……意外な人の訪問である、与茂七はいささか狼狽した様子で、会ったものかどうかと暫《しばら》く考えて

いたが、やがて客間へ通して相対した。

「三年ぶりですな、ようこそ」

「御無沙汰《ごぶさた》申上げております、お変りもなく」

「手前こそ、取紛れてお祝いにも上らず失礼していました、後ればせながらお目出度う、お父上もさぞ御安堵《ごあんど》のことでしょう」

「有難《ありがと》う存じます」

松子は重げな眼蓋《まぶた》を僅《わず》かに染めた。あの頃からとびぬけて美人というのではなかった。どこもかしこもふくらみかかった蕾《つぼみ》のような、重たげな羞《はじら》いに満ちた乙女であった、表へ現われる美しさは無かったが、いつまでたっても咲き切ることはないだろうと思える美しさが、その重たげな羞いの裡側《うちがわ》にひそんでいた。……三年ぶりで会った彼女は、もう人の妻として一年余日を過している、としももう二十二になっている筈だ、けれどあの頃からそうだった腫《は》れぼったい眼蓋を、僅かに赤らめながら俯向《うつむ》いた姿には、裡側にひそんでいて少しも損われない美しさが溢《あふ》れていた。

「して、なにか御用でお訪ねですか」

「はい、……三郎兵衛から申付かりまして、これをお渡し申上げるようにと」

松子は一封の書面を差出した。

与茂七は目礼して封を切った。……書面は思い切って辛辣《しんらつ》な句々で埋っていた、「榊市之進より仔細《しさい》のこと聞き取り候《そうろう》」という書きだしである、要点を記すとこうだ。

あれから市之進の話を聞いた。貴公はかねて妻松子に心を寄せていたのだそうな。だから、拙者が挑戦しても応じなかったのは卑怯未練からではなく、松子に不測の歎《なげ》きを与えまいがためだったという。……話は分った、拙者は松子を離別する。松子にはこの手紙を届けてから金吾の父の許《もと》へ帰れと申付けた、当人は知らぬが離別の手紙を持たせてある。

これで二人の間の邪魔者は除かれた。貴公も今こそ存分に立合えるだろう。……松原の湖畔「亀形の丘」にて待つ。

与茂七は文面をとくと読み終ってから、静かに巻き納めて顔をあげた。

「貴女《あなた》はこれから鞘町へお廻りですか」

「はい、なんですか二三日父の方へ行っておれと申付かりましたので……」

「手紙をお持ちですね」

「なにか書いてございまして？」

「鞘町へはおいでにならなくとも宜《よろ》しい、その手紙を渡して下さい、いや大丈夫、金吾は承知なんです」

「でも、……父の名宛《あて》でございますが」

「それがもう無用になったのです、その手紙を持って拙者がこれから金吾の処《ところ》へ行くことになったのですよ。だから貴女は、そう……後から直ぐ家へ帰って下さい」

「それで宜しいのでしょうか」

「帰っていれば分ります」

そう云って、与茂七は松子から手紙を受取ると共に立った。

彼は手早く身支度をすると、家士に命じて松を四五本用意させ、その一本に火を点じて家を出た。……もう暮れていた、湖の方から濃い霧が流れて来て、街の灯を朦朧《もうろう》と暈《ぼ》かしていた。

与茂七は懸命に怒りを抑えていたが、一歩行く毎《ごと》に我慢の緒が切れて来た。髭《ひげ》の剃《そ》り跡の青々とした顎《あご》は、歯を食いしばるために歪《ゆが》み、大きな眼は燃えるように光を放った。……彼は真直《まっす》ぐに松原の湖畔へ出ると、指定された丘の上へ砂を踏みしめながら登った。

三郎兵衛は既に来ていた、彼は霧の中からくっきりと白い汗止めを見せつつ進み出て、「よく来た、待兼ねたぞ」と喚《わめ》いた。

すっかり身支度をして、そう喚くなり左手に提げていた大剣を抜き鞘を傍《そば》の松の根方へ置いた。……与茂七は答えなかった、そして無言のまま五本の松火《たいまつ》に火を点じ、それをよきところに組合せて立てた。……濃霧がその焔《ほのお》を映して赤い光暈《こううん》を作った。

それが済むと、与茂七は静かに袴《はかま》の股《もも》立《だ》ちを絞り、襷《たすき》と汗止めをした後、履物を脱いで向き直った。……そして初めて相手へ眼をあげた。

三郎兵衛は苛《いら》だった調子で、「……いいか！」と叫んだ。

与茂七は、「よし」と答えて右手を柄《つか》に当てた。

七

三郎兵衛は青眼《せいがん》にとった。

与茂七は右手を柄にかけたままである、……松の焔がぱちぱちとはぜ、霧が条《しま》をなして渦巻《うずま》き流れた。なんの物音もない、時々どこかで微《かす》かに砂がはねるのは、松葉からこぼれる霧の滴《しずく》であろう。

時にして約十分。

呼吸と気合とが次第に充実し、両者の闘志が抑制の最後の膜をひき裂いたと思われる刹那《せつな》、絶叫と剣光とが濃霧を截《た》ち割《わ》った。……そしてそのまま元の静寂が四方《あたり》を包んだ。

三郎兵衛は半身になったまま、大剣を下ろして反っている、与茂七の躰《からだ》はのしかかるように相手を圧している。……よく見ると、与茂七の剣の切尖《きつさき》が、三郎兵衛の鼻梁《びりよう》の真上に、ぴったりと吸着しているのだ。どう動いてもその切尖を逭《のが》れる術《すべ》はないだろう。

「……金吾、斬《き》って来い」与茂七は静かに云った、「決して怪我《けが》はさせない、だから安心して掛って来い。……動けないのか」

「…………」

「貴様の腕はそれっきりか」

与茂七の籠手《こて》が僅かに動いた。

再び絶叫が起り、剣光が弧を描いた、然しその次の刹那には与茂七が三郎兵衛を組敷き、拳をあげて殴りつけていた。無言のまま殴った、三郎兵衛が反抗を止めて動かなくなるまで、殴って殴って殴りぬいた。

「馬鹿《ばか》野郎、貴様は大馬鹿野郎だぞ」

罵《ののし》りながら与茂七は身を起した。……そして倒れたまま喘《あえ》いでいる三郎兵衛の姿を、上から暫く見戍《みまも》っていたが、やがて汗止めを外しながら丘を下りて行った。

水の滴《したた》る汗止めを持って与茂七が戻《もど》って来たとき、三郎兵衛はまだ地上に伸びていた。……与茂七は側《そば》へ寄って抱き起しながら、「さあ水だ、綺麗《きれい》にして来たから啜《すす》れ」

「……無用だ」

「己の科白《せりふ》を取るな、喉《のど》を潤《うるお》したら話があるんだ、痩《や》せ我慢はぬきにしてお互いにさっぱりしよう、さあ」

三郎兵衛は音高く水を啜った。

与茂七は自分の襷を外すと、相手の物もすっかり脱《と》ってやり、相対してどっかりと腰を据《す》えた、そして両手の掌《てのひら》を外らせて膝《ひざ》を抱え、「第一は松子さんだ」と呼吸を鎮めながら云った。

「市之進が話したのは嘘《うそ》ではない、己はかつて松子さんを自分の妻に申受けようと思ったことがある、市之進にそんな意味を洩《も》らしたことがあるかも知れないが、もうよく覚えていない。恐らく洩らしはしなかったろう、市之進がそう気付いていただけだろうと思う、……だからこんな誤解が生じたのだ、肚《はら》を割って云うが、当人の己が江戸詰め三年のあいだにすっかり忘れていたんだ、帰って来て、貴公の入婿《いりむこ》を聞いたときはじめて、忘れていたことに気付いたくらいだ」

「…………」

「聞いているだろうな、金吾」そう云って与茂七は続けた、「だから、松子さんのために挑戦に応じなかったというのは嘘だ、市之進の解釈は誤っている、あの男は文字に明るいからむやみに小説じみたことを考えるんだ」

「ではどうして、どうして逃げたんだ」

「第二の問題はそれだな。……云ってしまうから気を悪くするなよ」与茂七はひと息ついて云った、「己は少年時代からこの彦根で餓鬼大将だった、自分の腕力を恃《たの》んでのし廻った、世間のやつらがみんな馬鹿のように見え、大手を振って横車を押し通して来た。……二十八歳になる今日までそうだった、ところがあの日。……進武館で貴公に出会ったとき、肩を突上げて仁王立ちになっている貴公の恰好《かっこう》を見たとき、己は……自分の姿をまざまざと見たのだ」

「…………」

「道場のまん中に立って、傲然《ごうぜん》と肩を怒らしている、その心驕《おご》ったさま、我こそはという増上慢、……それはそのまま与茂七の姿なんだ、二十八年のあいだ己は、そっくりそのままの恰好でのし廻っていたんだ。……なんという滑稽《こっけい》な、道化《おどけ》た姿だ、生唾《なまつば》の湧《わ》く気障《きざ》っぽさだ。……己は恥しくなった、そして逃げだした。自分では遂に分らず、貴公の上に自分の愚かな恰好を見出《みいだ》して初めて……己は眼が覚めたのだ」

与茂七は言葉を切って頭を垂れた。

松の焔がどよみあがり、既に半《なかば》まで燃えた一本が崩れると、支えが破れて一時にみんな倒れかかった。ぱちぱちと樹皮がはぜ、美しく火粉が飛んだ、……そして渦巻き流れる濃霧をぱっと赤く焦《こ》がした。

「これは燃してしまえ」

暫くして与茂七が、封を切ったのと切らぬのと二通、ふところから取出して渡した。……三郎兵衛は黙って受取り、身を伸ばしてそれを焔の中へ投込んだ。

与茂七はにこっと笑いながら、三郎兵衛の肩を叩いた。……三郎兵衛は腕で顔を隠すと、急においおいと泣きだした。はじめはそうでもなかったが終《しま》いには子供が泣くように、おーんおーんと明けっ放しで泣きだした。

「……おい」与茂七は笑いながら、「泣くだけ泣いたら知らせろよ、己は少し横になる。……ああいい心持だ」

そう云ってごろっと仰《あお》反けに寝ころんだ。……ひんやりと濡《ぬ》れた砂が、単衣《ひとえ》の脊《せ》に快く感じられた。彼は両手を頭の下にかった。

三郎兵衛の泣声はなかなか止らない、二人のあいだには、重要な言葉はまだなにも語られてはいないようだ、けれど三郎兵衛の泣く声は、どんな言葉よりも鮮かに、凡《す》べてを諒解《りようかい》したことを証《あか》している。……松の火は既に落ちかかり、赤い光暈は濃い霧の帷《とばり》と共にじりじりと円を縮めつつあった。

「おい、金吾……」

「…………」

「これで彦根から野牛と虎がいなくなるなあ。うん、城下は厄介払《やつかいばら》いをするだろう。うん、明日からさっきの手を教えてやる、あれは柳生《やぎゆう》の秘手だ。うん、己は二年かかって……」

独りで話し独りで答えながら、いつか与茂七の頰《ほお》を涙が流れていた。……なんの涙ぞ。

（「講談倶楽部」昭和十五年五月号）

あらくれ武道

一

——宗近《むねちか》新兵衛がものおもいに取憑《とりつ》かれている。

そういう評判が、近江《おうみ》ノ国小谷《おたに》城の人々を仰天させた。

——あの鬼のような新兵衛が？

——あのあらくれが物思いか？

——それが本当なら、今年はなにか天変地異が起るぞ。

噂《うわさ》は城中から城外まで拡《ひろ》まり、聞くほどの人を愕《おどろ》かせ、また笑わせた。それは、宗近新兵衛がどんなに有名な存在であるか、そしてものおもいなどということが、どんなに彼と不似合であるかのよい証拠であろう。


新兵衛はそのとき二十六歳、身のたけ高く、筋骨たくましく、「相貌《そうぼう》非凡にして千人の群のなかに在っても紛れのない人品骨柄《こつがら》」だったという。戦国の世のことだから剣槍《けんそう》馬術にぬきんでたことはいうまでもなく、殊《こと》に力が強くて二十人力は充分にあった。こう記してくると如何《いか》にも典型的な偉丈夫のようであるが、ただ一つだけ欠点があった。というのは、彼の鼻が大きくて、しかも左へ捻《ねじ》れていたことである。

もしも、新兵衛の顔がもっと平凡な、十人並のつまらぬ物であったら、それほど人《ひと》眼《め》につかなかったかも知れないが、なにしろ「千人のなかに在って紛れなし」と云《い》われるずばぬけた人品だったから、その「大きくて左へ捻れた」鼻はひどく人の注意を惹《ひ》いていた。どんなに勘のにぶい者でも、あっと云うくらいだったそうだ。じろじろ見ては失礼だと思うからいそいで眼をそらすものの、誰《だれ》の顔にもかならず、

——みごとな物だな。

という表情があらわれる。どんな大人物でもじぶんの弱点に触れられて平気でいる者はない。新兵衛にはこれがどうにも我慢のならぬことだった。大抵のことは笑って済ませても、いちど鼻のことになるといけない、たとえ口に出して云わなくっても、ちょっと妙な表情をしただけでも二十人力が容赦なく暴れだす、待ても暫《しば》しもなかった。それで小谷城の人々は暗黙のあいだに、

——新兵衛の鼻を見るなら遠国するつもりで見ろ。

という不文の戒めがあった。

これでおよそ宗近新兵衛の風格は察せられるであろう。彼はずばぬけた人品と、豪快な気質と、大きくて捻れた鼻と、すぐ暴れだす二十人力を持っている。そういう彼が、いみじくも、「ものおもい」にとりつかれたというのだから、世間が愕くのは当

然であった。

小谷の城主浅井長政は、ひじょうに新兵衛を愛していた。それで噂が耳にはいってから、それとなく様子を見ていると、たしかに新兵衛の言語動作がふつうでない。顔色も冴《さ》えないし時々ほっと溜息《ためいき》などをつくのである。これは何事かあるに違いないと思ったので、

「新兵衛、近うまいれ」

と、あるとき側近の者を遠ざけて訊《き》いた。

「そのほうなんぞ屈託があるか」

「はっ。それは、いかなる御意でございましょうか。わたくしには、解《げ》しかねまするが」

そう答えながら、ふしぎなことに彼は耳たぶまで真赤に染めてしまった。長政は驚いてそれを暫《しばら》くみつめていたが、

「隠すことはないぞ新兵衛、主従は三世という、殊に余はそのほうを又なき家来と思っている。胸に余る屈託があるなら包まず申してみい、余の力でできることならかなえてとらせる、どうだ」

「身に余る仰《おお》せ、かたじけのう……」

両手を突き頭を垂れたが、新兵衛はそのまま黙ってしまった。見ると、鼻柱を伝って泪《なみだ》がぽろぽろと落ちている、……しかし鼻が左へ捻れているので、泪もしぜんその捻れているとおりにくねりくねりと曲って落ちるのは奇観であった。長政は思わずふきだしそうになったから、わざと声を励まして叫んだ。

「泣くとはなにごとだ、新兵衛。二十人力、小谷城のあらくれと呼ばれるそのほう、どれほどのことがあろうとも泣くということがあるか」

「まことに、まことに恥じいり奉《たてまつ》る」

新兵衛は拳《こぶし》で泪を押しぬぐった。

「みれんな有様をお眼にかけ、なんともお詫《わ》びの申しようもございません。新兵衛せいねん二十六歳、このたびばかりは、おのれでおのれをいかんとも為《な》すことあたわず、恐れながらまったく進退に窮しているのでございます」

「だからそれを申せというのだ、臣の喜びは主の喜び、悲しみ憂《うれ》いもまたおなじだ、余の力で及ぶことなればかなえてつかわす、包まず申してみい」

「恐れいり奉る。かさねがさねの御意ゆえ、思い切って言上つかまつります。実は」

と云いさして、再び新兵衛の顔は、小鬢《こびん》のあたりからみるみる赤く染まりだした。

二

長政はその夜、奥殿でお市のかたを相手に酒をのんでいた。

お市のかたは織田信長の妹で、永禄《えいろく》七年（一五六四年）にこの小谷へ嫁いで来た。心ざまのやさしいひじょうな美人で、すでに茶々、お初、小督《こごう》と三人の娘があり、今またつぎの御子の産月がちかづいている。夫婦仲のむつまじさは下々にもこれほどのめおとはあるまいと云われるくらいだった。

この縁組みは、信長の懇望によってむすばれたものである。信長は長政の人物に惚《ほ》れこんで、将来おのれの片腕ともすべく、妹を縁付けるに当っては、左のような誓約をさえした。

――今後は浅井と織田と攻守同盟をむすび、京にのぼって天下をとるうえは、両家ともども禁廷守護をつかまつるべし。

――越前の朝倉は、浅井と格別のあいだがらなれば決して織田より手を出すことなし、越前のことは浅井のさしずに従うべし。

そういう懇篤《こんとく》な誓約を与えてまで、信長は彼を妹婿《いもうとむこ》にしたかったのである。

金屛《きんびょう》にはえる燭《しょく》のあかりは、しずかな、むつまじい小酒宴の席を、ほのぼのと艶《えん》にうつしだしている。長政はすこし酔いのでた眼で、さっきからお市のかたのうしろにいる一人の侍女を見ていたが、ふと微笑しながら、

「これ浪江」

としずかに呼びかけた。

「そのほう宗近新兵衛を見知っているか」

「……はい」

いきなり声をかけられた侍女は、両手をつきながらけげんそうに面《おもて》をあげた。……浪江はお市のかたが岐阜から伴《つ》れて来た侍女たちのなかで、才色もっともすぐれたひとりで、お市のかたにも長政にも寵愛《ちようあい》されていた。

「浪江がどうなさいましたか」

お市のかたも不審そうに長政を見た。

「どうかしたどころではない」

長政は笑いながら「おかたも聞いているであろう、宗近新兵衛、小谷のあ、ら、く、れと申して近国にも隠れのない男がおる」

「おお、あの鼻の……」

と云いかけて、はしたないと気付いたのだがもうおそく、そこにいあわせた侍女た

ちは一斉《いっせい》に袂《たもと》で顔を隠しながら、くくと忍び笑いをはじめた。みんな真赤になって、身を揉《も》みながら懸命に抑えているが、しばらくは忍び笑いがとまらなかった。お市のかたはその声をうち消すように、

「新兵衛のことは美濃《みの》でも噂を聞いておりましたが。それで、なにか……」

「彼めが浪江をみそめたのだ」

またしても忍び笑いが高くなる。長政はそのとき、浪江ひとりがさっきからすこしも笑わず、睫《まつげ》のながい美しい眼を伏せ、じっと俯向《うつむ》いている姿に眼を惹かれた。

「わけを云わなければわかるまい。この春（永禄十二年）おかたは城中二の曲輪《くるわ》で、新兵衛と黒川主馬亮《しゅめのすけ》が喧嘩《けんか》をしていたところへ、通りあわせたことがあるであろう」

「そのようなことがございました」

「喧嘩のもとはいつもの鼻のことだそうな」

黒川主馬亮は新参者で、例の不文の戒めを知らなかった。それで新兵衛の怒りを買い、二十人力が暴れだしたところへ、お市のかたが侍女たちを伴れて通りかかった。

——おかた様のお通りだぞ。

というので二人は喧嘩をやめて平伏した。お市のかたは近寄って来て、なぜ喧嘩を

したのかと理由を訊くと、その偉大な捻れた鼻が原因だという、お市のかたも可笑《おか》しかったが、侍女たちはみんなふきだしてしまった。

「みんなが笑ったのはむりもないが、新兵衛の無念さも一倍であったろう、あの眼だまでぎろりとねめあげた。みんな笑っている侍女たちのなかにひとりだけ、微笑もせずにじっとこっちを見ている侍女がいた。美しいと思うよりも、その笑わないしずかな眼があたたかい情けに溢《あふ》れていて、世にもめでたくなつかしく思われたそうだ」

「それが浪江だったのでございますか」

「そうだ、それ以来あのあらくれがものおもう身になった、実は今日よくよく問いつめたところが、どうしても浪江のまぼろしが胸から消えない、どうか家の妻に迎えたいということを白状したのだ」

「まあ。あの鬼と名のある新兵衛が、そんなやさしい心も持っているのでございましょうか」

お市のかたは、感動したように云った。

「浪江、いまの話をお聞きか」

「……はい」

「おまえどうお思いだ、小谷城きっての勇士がそれほどの執心、おろそかには思うまいのう」

「おかた様」

浪江は、しずかに面をあげて云った。

「わたくし、殿さま、おかた様のおめがねにかないました方なら、いず方へなり仰せのままに嫁ぎまするが……宗近さまだけはいやでござります」

「なに、新兵衛はいやとお云いか」

「はい、宗近さまだけはお断り申しまする」

きっぱりと云いきった笑わぬ眼を、長政とお市のかたは呆《あき》れて見まもるばかりだった。

三

新兵衛は葦《あし》のなかに馬を捨て、さっきから体を固くして待伏せていた。

彼は怒っていた。

――浪江はいやだと申したぞ。

長政の声がまだ耳にある。

――そのほうが嫌《きら》われるのを、余にはそのままに捨て置くことはできぬ。許すからおのれの力でなびかせてみい、おかたにもその旨《むね》をふくめてある、いかなる手段をとるとも苦しゅうないぞ。

但《ただ》し道にはずれた事はならぬ。そう云われてから十余日新兵衛の胸を焦《こ》がす怒りの焔《ほのお》は片時もやむひまがなかった。その怒りは、しかしおのれひとりのためのものではなかった。じぶんが嫌われることはしかたがないと思ったのである、けれども、そのために主君長政にまでひけ目をかけたと思うと、我慢ができなかった。

——どうして呉《く》れよう。

いろいろ考えてみたが、結局は長政の云うとおり、浪江の心をなびかせるのがなによりだ。

——だがどうしてなびかせる。

表と奥とはきびしくわかれていて、会う折などは殆《ほとん》どあり得ない、しかも相手はこちらを嫌っているのだ、これで娘の心をなびかせようというには、尋常の手段では不可能だ。

——よし。

どんな手段でもよしと許されていた彼は、ついに今日の思い切った方法を決行することにきめたのである。

その前年六月、浅井家では竹生島《ちくぶじま》神社へ天女の像をおくって盛んな祭祀《さいし》をとりおこなったが、今年もまた六月十五日に長政みずから参拝し、翌十六日、つまり今日はお市のかたの参詣《さんけい》があった。……小谷から湖畔の山本へ二里、そこから竹生島まで舟で二里弱ある。おかたの乗舟には楽人がいて、往復とも音楽を奏していたが、戻《もど》りの舟で奏するその楽の音が、湖上をわたる風にのって山本城の舟着きへはいるのを、新兵衛はさっき聞いた。

午後三時《ひつじさがり》と思われる頃《ころ》だった。深い葦原のあいだの道を、さきぶれの騎馬武者が四騎、だく足で来て通りすぎたと思うと、やがて徒士《かち》武者の警護がゆき、侍女たちの列がお市のかたの輿《こし》をまもって近づいて来た。

面を黒頭巾《くろずきん》で包み、じっと葦のなかにひそんでいた新兵衛は、四五間輿をやりすごしておいて道へとびだすと、走って行っていきなり侍女浪江を抱きあげた。

「あれ、浪江さまが」

「曲者《くせもの》！」

「狼藉者《ろうぜきもの》！」

警護の人々がどよめきたつ、それよりも疾《はや》く、浪江を抱きあげた新兵衛は葦のなかへとびこみ、繋《つな》いで置いた馬へひらりととび乗っていた。なにしろ二十人力のあらくいれだから、娘ひとり抱こうが担《かつ》ごうがてまひまはいらない。

「それあちらへ逃げた」

「矢を射かけろ」

と騒ぐまに馬腹を蹴《け》ってま一文字、葦原のなかを疾風の如《ごと》く駆け去ってしまった。

小谷城下のおのれの屋敷まで、無言で馬を乗りつけた新兵衛は、石のように固く身を縮めている浪江を抱きおろし、おのれの居間へ曳《ひ》いて行って突き放した。

「さあ、此処《ここ》がそのもとの当分の住居《すまい》だ」

「…………」

「そのもとはこの宗近を嫌ったそうだ。拙者は男子としてそのもとを家の妻にのぞんだ、そのもとこそ一生の妻とみこんだからだ。ところが、そのもとは宗近はいやだと云ったそうだ」

浪江は突き放されたまま畳に両手をつき、あおざめた面を伏せて一言も云わない。その姿が美しければ美しいほど、いじらしければいじらしいほど、新兵衛の怒りははげしく燃えあがった。

「だがどうして嫌うのだ！」

彼は懸命に怒りを抑えながら喚《わめ》いた。「どういうわけで新兵衛を嫌うのだ。そのもとは嫌うほどこの新兵衛を知っているのか。拙者がどんな男だか知ってのうえなら嫌われても是非がない。しかし、当人をよく知りもしないでいやだなどと云うには僭越《せんえつ》だぞ」

「…………」

「掠《さら》っては来たが乱暴はしない。今日から一年のあいだこの家におれ。そしてこの新兵衛の起居をよく見るのだ。そのうえで嫌いなら嫌いとはっきり理由を聞こう、一年のあいだはこの家から一歩も出ることならん、わかったか」

「…………」

「弥五兵衛、弥五兵衛まいれ」

異様なできごとを気遣って様子をうかがっていたらしい、家臣の椙田《すぎた》弥五兵衛がすぐにやって来た。新兵衛は浪江をさし示して、

「これは当分この家に置く、とり逃がさぬよう心をつけておれ」

と命じ、さっさと表へ出て行った。

四

こうして奇妙な生活がはじまった。

起きるから寝るまで、新兵衛の身のまわりのことはすっかり浪江がする、洗面水浴の世話から着替えから食事の給仕、寝具のあげさげまで浪江は黙々としてはたらく、べつに隙《すき》があっても逃げる様子もない代りには、いつまで経《た》っても口をきかない、眉《まゆ》はしずかに、朱唇《くちびる》はかたくむすばれたまま、たちいにも睫のながい眼を伏せたきりである。

この事情を知っているのは、長政とお市のかたの二人だけだった。それで長政はときどきそっと様子を訊《き》いた。

「どうだ新兵衛、すこしはなびく風がみえだしたか」

新兵衛の答えはいつもおなじだった。

「恐れながらとんと見当がつきかねます」

「そのほうほどの男が手ぬるいではないか、もう百日あまりになるぞ」

「一年と申す約束でございますから」

「約束はどうでも、もう気ぶりにそれとみえそうなものだ。いったい、そのほうには浪江の心をなびかせる自信があるのか」

「はじめはあったのですが」

と彼は心細そうに云った。「近頃ではどうもあやしくなってまいりました。それに生れて初めて身近に女子を置きますので、乱暴があってはならぬと思う気疲れが多く、こちらのほうがさきに兜《かぶと》をぬぎそうでございます」

「あらくれが、今になってなにを申す、そんな弱いことでは鬼の名が泣くぞ」

長政は励ますように笑うのであった。

こうして更に日を重ねるうち、浅井家の存亡を賭《と》する重大事態が突発した。それはかねての誓約をやぶって、織田信長が浅井家へなんの挨拶《あいさつ》もなく、いきなり越前の朝倉氏の攻撃をはじめたのである。……浅井と朝倉との関係は、両家国境を接していわゆる唇歯輔車《しんしほしや》のあいだがらであると共に、朝倉氏は累代《るいだい》浅井を援《たす》け、小谷城の基礎を築くことができたのも、その援助が大きな力となっていたのである。だから信長はお市を嫁にやるに当って、特に「朝倉へは決して手を出さない、越前一国は長政のさしずに任す」と誓言したのである。

その誓言を信長はやぶった。信長にもそれだけの理由はあろうが、長政との誓約を無断で破棄したのは無法である。

小谷城には直ちに会議がひらかれた。天下の帰趨《きすう》を説いて信長に附くべしという者、年来の恩義にむくゆるため朝倉を援けよという者、論議はふたつにわかれて紛糾した。長政は愛妻のよしみもあり、かつは信長こそやがて天下をとるべき人物とみていたの

で、できるなら織田軍と行動を共にしたかった。けれども、父親の久政は愚昧《ぐまい》で時勢をみる明がなく、

――信長は勝手に誓約をやぶる暴将だ。あんな者に附いたところで浅井家の将来が安泰であるわけはない。朝倉には恩義もあることだし、いま力をあわせて織田を攻めほろぼせば、天下はおのずから両家の手中のものだ。

と、頑強《がんきょう》に主張し、はては、

――いやならば儂《わし》ひとりでも手勢をひっさげて越前へまいる。

と、泣き声をあげて叫びだした。

長政の覚悟はきまった。孝心のふかい彼は父の意見にさからうことはできなかった。いま信長にむかって反旗をあげることは、千のうち九百九十まで敗戦滅亡と思われる。しかし、父の言葉はおもく朝倉への義理も棄てられない。

「評定はきまった。めざす敵は織田信長、いずれも出陣の用意をいそげ」

そう宣言したときの長政の顔には、おのれの生涯《しょうがい》をなげいだしたものの悲壮な決意がありありと表われていた。

……おのれ信長の裏切り者め！

新兵衛は、主君の面にあらわれた悲痛な色をみると、総身をふるわせながら心に叫

んだ。彼には長政の考えがよくわかった。それで身のふるえるほど信長を憎んだ。もし誓約をすこしでもおもんじ、ひと言でも事前に挨拶して呉れたら、越前への扱いようもあったであろうし、そのうえで朝倉が肯《うなず》かなかったら信長に附くこともできたのである。一言の挨拶もなく誓約をやぶれば、長政をこの苦境に追いこむことは知れているはずだ。

——信長の無道者め、いまに目に物みせて呉れるぞ。

なにも云わない長政に代って、新兵衛は信長の姿を空に描きながら心のうちで罵《ののし》り叫んだ。

戦《いくさ》のありさまを精《くわ》しく記すいとまはない。有名な姉川の合戦もこのときのことであるし、いちじは浅井朝倉がたに勝算もみえたが、時の勢《いきおい》はどうしようもなく、おいおいに諸城をぬかれ、天正元年（一五七三年）八月ついに小谷城は孤塁となって織田勢にとりかこまれ、浅井氏の運命は旦夕《たんせき》に逼《せま》ってしまった。

信長は城中に使《つかい》をやって降伏をすすめた。けれども長政は鄭重《ていちょう》にそのすすめを拒んだ。そして妻と子供たちは姻籍のよしみで助命を乞《こ》うと云った。……お市のかたは妹、その子は甥姪《おいめい》にあたる。信長はむろんよろこんで助命のことを承知した。

五

おのれの屋敷へ馬をとばして来た新兵衛、玄関へ立つと声をはりあげて、

「浪江どの、浪江どのはおるか」

と絶叫した。留守の弥五兵衛が出ようとするのを押し止《とど》めながら、浪江が小走りに玄関へ出て来た。

「おおいたか、すぐ支度をするのだ、いよいよ一族籠城《ろうじょう》ときまり、おかた様はじめ和《わ》子《こ》たちは織田軍へおひきとりになる、そなたも早く支度をしてお供を申上げるのだ」

「して、あなたさまは……？」

「知れたこと、拙者は殿の御先途をつかまつるのだ」

「ではわたくしもそのお供をいたします」

「なに、なに……」

「わたくしも、あなたさまとご一緒に殿さまの御先途をつかまつりまする。それがもののふの妻の道だと存じます」

「もののふの妻、……妻と申すのか」

新兵衛は大きく眼《め》をみはった。浪江の唇《くちびる》のあたりにしずかな微笑がうかんだ。それ

は彼女を知ってからはじめて見る微笑だった。謎《なぞ》のようにもの云わぬ眼も、いまこそあたたかく熱い想《おも》いに潤《うる》んでいる。新兵衛の声はふるえた。

「ではもう、拙者を嫌ってはいないのだな、拙者がどういう男かわかったのだな」

「はじめからわかっておりました」

浪江はつつましく、けれどゆらめくような微笑のなかから云った。

「はじめからわかっておりましたの。あのとき嫌いだと申しましたのには、わけがあったのでございます」

「どうしてだ、どうしたわけがあったのだ」

「あなたさまは小谷城ずい一の勇者でございます。岐阜のお城におりまする時分からお噂《うわさ》にうかがっておりました。それほどのお方が、ごじぶんの鼻のことを云われると前後を忘れ、すぐ喧嘩《けんか》乱暴をなさいます。まことの勇者つわものなれば、盲目《めしい》あしなえであろうとも、それを口にされたくらいで喧嘩乱暴はなさらぬはず、女の身でおこがましい申分ではございますけれど、このひとつ……があなたさまの瑕《きず》だと存じました。それで、……そのお癖が治るまでは妻として、この身をおまかせ申す気になれなかったのでございます」

「そうか。……うん。そうだったのか」

新兵衛の顔は赤くなり、また白くなった。

「しかしいま妻と申したが、それはどういうわけだ」

「このお屋敷へまいりまして、あなたさまのお世話をいたしますにつれ、わたくしはじぶんの考えの誤っていたことを悟りました。人にはそれぞれ癖のあるもの、それをたがいに助け、たがいに補ってゆくのが夫婦のかたらいだと気づいたのでございます。あなたさまはお察しくださらなかったようですけれど、わたしは疾《と》うからあなたさまの妻と心にきめておりました。……どうぞ御先途のお供をおゆるしくださいませ、今《こん》生《じょう》のおねがいでございます」

新兵衛の胸に熱湯のようなものがつきあげて来た。浪江の眼にはするどい批判があり、その心にはあたたかい情けの火があった。いちどは冷たく新兵衛を見たが、やがてその心は彼を包んで愛情の火を燃やした。……笑わぬ眼はやさしく溶けむすばれていた。唇はいま熱い心を告白している。新兵衛の眼は誤らなかった。彼女こそもののふの妻としてまたと得がたき一人であった。

「そうか、ではそなたは新兵衛の妻だな」

やがて彼は心をとりなおして云った。

「……はい」

「ではすぐ支度をするがよい、おかた様や和子たちのお輿は、まもなく織田軍の陣へおわたりだ。そなたはどこまでもお供をして御守護を申すのだ」

「ではあの、御先途のお供はかないませぬか」

「そなたがまことに新兵衛の妻なら、良人《おっと》の申しつけに従うはずだ、いそがぬと遅れるぞ」

きっぱりと云いきられて、浪江はきゅうにむせびあげた。むせびあげながら声をふるわせて云った。

「あなたさまはつれないお方でございます。嫌いだと申上げたわたくしを無理にここへお伴《つ》れあそばし、わたくしが二世と思いきわめた今になって、今になって出てゆけとは……あんまりでございます。あんまりでございます」

「その怨《うら》みには一言もない、しかしこれがもののふの道だ」

新兵衛は毅然《きぜん》と顔をあげた。

「そして拙者は小谷城のあらくれだ、どう怨まれてもそなたを死出《しで》の道づれにはできぬ。泪《なみだ》をふいてもういちど笑顔をみせて呉れ、かどでに泪は不吉だぞ」

「………」

浪江は泪の溢《あふ》れる眼をあげた。新兵衛はぐっと顔をつきだし、おのれの鼻を指さしながら、おどけた調子で云った。

「このみごとな鼻を見ろ、こいつは世間広しと雖《いえど》も、宗近新兵衛だけが持つ道具だぞ、拙者のかたみになによりの物だ、よくよく見て覚えて置け」

「……旦那《だんな》さま！」

浪江はたまらず、声をあげてわっと泣き伏した。新兵衛の手がそっとその肩へのびた。

六

お市のかたと三人の子が、侍女たちに護《まも》られて信長の陣地へひきとられたのは、天正元年八月二十九日の朝のことである。浪江もその人々に加わって泣く泣く小谷を去った。

それが済むとすぐに織田軍の総攻撃がはじまった。

これよりまえ、二十七日には久政が自刃《じじん》していたし、将兵のなかにも逃亡するものが多かったので、小谷城はひとたまりもなく蹂躙《じゅうりん》され、長政はあたら大器をいだいて火中に屠《と》腹《ふく》して果てた。これで浅井氏はまったく滅亡したわけである。長政はいくたびも降伏の使者をうけたが、そのたびに鄭重に拒んでみずから死をえらんだ。そして誓言違約のことには一言も触れず、従容《しょうよう》としておのれの武運のおもむくところに就いたのである。宗近新兵衛はどうしたか。彼は手勢をひっさげて城外へ斬《き》っていで、悪鬼羅刹《らせつ》の如く奮戦したうえ、ついに捕えられて信長の本陣へ曳かれていた。

新兵衛はすぐに曳きだされた。髪のふり乱れた顔面は乱戦の血しぶきにまみれている。鎧《よろい》の胴は裂け、草摺《くさずり》は千切れ、全身汗と血と埃《ほこり》にまみれて見るも無慚《むざん》な姿だった。

「めずらしや新兵衛」信長は床几《しょうぎ》から声をかけた。

「みれば存分に暴れたそうな、武者ぶりみごと、あっぱれつわものの画像と思うぞ。だがそのほうほどの者が縄目《なわめ》の辱《はずか》しめをうけるとはどうしたことだ。いかに乱軍のなかとはいえ、腹切るひまはあったであろうに、小谷のあらくれと呼ばれる者にも似合わぬ、みぐるしい態《てい》ではないか」

「お黙りあれ」新兵衛は莚《むしろ》の上にどっかと坐《すわ》ったまま、乱髪の面《おもて》をあげてはげしく叫び返した。

「こなたのようなる表裏ある大将、義理も人情もわきまえぬ無道人に、さむらいの本心がわかると思うか」

「なに、この信長を無道と申すか」

「申さいでか。こなたはわが主君とお市どのとの縁組みの折なんと云われた、朝倉には手を出さず、越前一国は浅井家のさしずどおりと、かたく誓言されたではないか。この誓言を反故《ほご》の如くやぶり捨てたばかりに、御主君長政公には、こんにち御悲運、しかも一言の怨みも仰《おお》せられず御悲運のままに最期《さいご》をとげられたぞ。これ皆こなたの不信の為《ため》、義理も人道もふみにじる、悪虐《あくぎゃく》無道なこなたのためだ」

「黙れ、黙れしれ者！」

「黙らん、拙者が縄目の辱を忍んだのはこの一言を云おうがためだ。これ織田どの」

新兵衛はぐっと片膝《かたひざ》を立てた。

「こなたは美濃の僻隅《へきぐう》より起り、こんにち正四位の栄位にある日本《ひのもと》の弓とりだ。義理をふみ道を守ってゆけば、やがて天下の仕置人《しおきびと》ともなるであろう。なれどもかくの如く人を裏切り、かくの如く無道をおこなうようでは天下のことは云うに及ばず、その身もやがて野晒《のざら》しとなろうぞ」

「……うぬ！」信長は佩刀《はいとう》を摑《つか》んで床几を立った。

「みごと新兵衛をお斬りなさるか、この一言を云いたいために、わざと縄目の辱を忍んでまいった。むざと手籠《てご》めになる拙者ではないぞ。これを見られい」

云うとひとしく、身を跼《かが》めてうんとひとこえ、満面に血をはしらせたとみるや、きびしくいましめた縄はふつふつと音高く千切れとんだ。そして、その刹那《せつな》に、ふみこんで来た信長の一刀が、彼の肩を、したたかに斬りさげていた。

「浅井一族のうらみをお忘れあるな、織田どの」

新兵衛はよろめきながら叫んだ。

「こなたはやがて野晒しとなって果てようぞ、その折はこの新兵衛、悪鬼となってお迎えにまいるぞ」

だがつづく二の太刀とともに、宗近新兵衛の体はどうと前へ倒れていた。壮烈な最期であった。

＊　＊　＊

天正十年十月のなかばのことである。

被衣《かつぎ》にふかく面を隠したひとりの女性《にょしょう》が、近江ノ国小谷のちかく、虎御《とらご》前山《ぜんやま》のあたりに佇《たたず》んでいた。離々たる秋草のあいだには、昼というのに虫の音がわくようだったし、湖水をわたる風も蕭殺《しょうさつ》として身にしみた。

虎御前山はかつて小谷攻めのとき、信長が本陣を布《し》いたところである。被衣の女性は、しずかに持って来た瓶子《へいし》をとりだし、秋草のなかへさらさらと水を濺《そそ》ぎかけた。

「あなた。浪江でございます」

女は囁《ささや》くように云った。

「ご最期のようすは精しくうかがいました。あなたらしいおいさましい、ご最期でしたことねえ。ながまさ公に代って思うままにご遺恨を述べ、四位さまのお佩刀《はかせ》で潔《いさぎよ》いご最期、浅井にまことの勇士ありきと、いまも噂は絶えませぬ」

被衣をふく風に、暫《しば》し女の声はとだえていたが、やがて哀《かな》しい囁きはつづけられた。

「あなた、お知らせがございますの。織田の殿は二位の内大臣にまでおのぼりあそばしましたが、ことしの六月、京の本能寺にておいたわしい御往生でございました。……あなたのお言葉どおりでございましたことねえ。ながまさ公もあなたさまも、これでご成仏あそばしましょう。あなた」

女は瓶子の水を残りなく傾けた。

「あなたは内大臣さまを、悪鬼となってお迎えにおいでなされまして？……」

ふき来《きた》りふき去る風に、秋の千草はさやさやと鳴っていた。湖の水は紺碧《こんぺき》に澄み、遠い比良《ひら》の山なみはすでに冬の色が濃かった。

（「講談雑誌」昭和十六年八月号）

江戸の土《と》圭《けい》師《し》

一

「わかった、一両は用立てよう。けれどもおまえ仕事はどうなんだ」

「……仕事は、やっています」

「図引きは出来たのか」

三次郎は答えなかった。徳兵衛はきせるをぱたりと置きながら、

「おれは錺職人《かざりしょくにん》だ、土圭《とけい》つくりなんというむずかしい仕事はわからない、だから余計なことを云《い》うつもりはないけれども、灘七《なだしち》さんや和貞《わてい》さんはもう組立てにかかったという評判だぜ、おまえそれで間に合うつもりなのかい」

「……それはわかりません」

ぶすっとした調子だった。

「わかりませんけれども、あたしの仕事は、ただ期限に間に合えばいいというようなものじゃないんです」

「だが島津《しまづ》さまへ納めるのはこの九月が期限だと云ったはずじゃあないか」

「納める期限があっても、気にいった品が出来なければしかたがありません。あたし

には間に合わせのために雑なものを作るような、けちなまねはできませんから……」

「そうかい」

徳兵衛はむっとしたが、しかし色にはみせず、立って金を取りに行って来た。三次郎の前へ半紙を置き、小粒を四つならべて、

「さあ一両、持っていきな」

「すみません、ありがとうございます」

「なあ三次郎」徳兵衛はきせるへ煙草《たばこ》をつめながら、つとめてなにげない調子で云った。

「おまえの仕事を大事にする気持はいいが、職人というものは期限を守るのもたいせつだぜ。世間でよく名人気質《かたぎ》などということを云うけれども、どんな名人上手《じょうず》だって世間の飯を食ってるからには、世間の約束をおろそかに思っちゃあならない。いいか、これは意見でも小言でもない、ただおれの気持を云ってみたまでのことだが、おまえそうは思えないか」

「……へえ」

三次郎は自分の膝《ひざ》をみつめたまま云った。

「なにしろあたしは、ごまかしのきかないたちでございますから」

を向いた。

「ま、ま、ごまかし……?」てめえはと云いかけて、徳兵衛はぐっとその言葉をのみ、そっぽ

「まあいいや、しっかりやりな」

「……ありがとうございます」

親方の顔は見ずに、三次郎は会釈《えしやく》をして立った。そとは梅雨あがりのからりと晴れた日だった。木々の葉に、街の屋根に、白くかわいた道の上に、ぎらぎらと照りつける日が眼《め》に痛かった。

「……親方はいいひとだ、けれどもやっぱりおいらの気持はわからねえ」

三次郎は不満を吐きだすように呟《つぶや》いた。

「灘七や和貞のような、ありきたりの仕事をするんなら苦労はしやあしねえ、こっちは骨身をけずってるんだ。親方だけはこの気持を知ってくれてると思ったのに、……やっぱりただの世間人《せけんじん》だ」

ときどき風が埃《ほこり》を巻いて行った、午《ひる》さがりの日かげのないときで、少しあるくと背筋へ汗がながれ、大鋸町《おおがちょう》の親方の家から白銀町《しろがねちょう》の堺屋《さかいや》の店までゆくあいだに、三次郎はなんども辻《つじ》に立ちどまっては、汗をふき、ふところをひろげて風をいれた。

堺屋は両替商で地金屋《じがねや》をかねていた。むろん金と銀は許されない、赤銅《すあか》、銅、鉄、

真鍮《しんちゅう》などである。三次郎は鉄と真鍮の板金《いたがね》を買った、四五年まえからのなじみで、この店だけは勘定をためたことがなかった。それで番頭から小僧までいつもあいそがよかったが、今日の三次郎にはそんなことさえ気にいらなかった。

「いかがです、こんどはだいぶお骨折りのようすですが、いよいよあなたも組立てにおかかりですか」

若い手代の佐吉というのがそう云った。

「一昨日《おととい》でしたか、灘屋さんがみえましたっけ、文字板《いた》の象眼鍍金《ぞうがんめっき》を置いてらっしゃいましたが、もうよほどお進みのようでございましたよ」

「おいらあそんなちょくわけにゃあいかねえのさ」

三次郎は地金板を包みながら突っぱねるように云った。

「世間にゃあ三日で作れ、おいきたってえ仕事もありゃあ、三年の日切《ひぎり》を五年に延ばしたって足りねえ仕事があるんだ。白痴《こけ》が飛脚《ひきゃく》をしやあしめえし、間にあえば正月だという手合たあ付き合えねえ」

「いいことをおっしゃいますね、なるほどそれでなくちゃあいけません、やっぱり名人と云われる人はお考えが違いますからね」

そう云って追従笑《ついしょう》いをする声が、三次郎をちりけもとからぞっとさせた、本当に水を浴びたような気持だった。彼は逃げるように店をとびだした。

——ええくそ、のんでやれ。

二

暑気ばらいの焼酎《しょうちゅう》を、水に割ってのんだのがはじめで、しまいにはどこをどうまわったかわからぬまでのみあるき、薬研堀《やげんぼり》の家へ帰ったのは夜の十二時ちかくだった。女房のお兼《かね》はまだ起きていた。仕事場をのけてはひと間っきりの六畳で、行燈《あんどん》をひき寄せてなにか縫っていたが、帰って来た良人《おっと》のほうには眼も向けなかった。

「おい、仕事場へ灯《あかり》をいれてくれ」

三次郎はそう云い捨てて杉戸《すぎど》をあけた。仕事場といっても畳数で八畳、一方が掃き出しのぬれ縁、一方が小窓、あとは板壁の殺風景なものだった。鑢台《やすりだい》を中心にして用《よう》簞笥《だんす》や幾つもの木箱があり、中にはさまざまの歯車や、軸や、枠《わく》などがはいっている。そこらはいちめんに金の削り屑《くず》で、足の踏み場もないありさまだった。

「おい、灯を持って来ねえのか」

三次郎はどなりながら、地金板の包みを投げだして鑢台の前に坐《すわ》った。返辞はなかったけれど、やがてお兼がやって来て燭台《しょくだい》に灯をいれた。そしてそのまま黙って出ていった。

頭の蕊《しん》はさえているが、からだは泥《どろ》のように酔っている。彼は用簞笥の抽出《ひきだし》から下図をとりだして燭《あかり》の下にひろげた。全部で四五十枚はあろう、複雑な線と歯車のつながる設計図で、見るだけでも眼がちらくらするような精密なものだった。

「ええい、なっちゃあいねえや！」

ふいにそうわめくと、彼は下図の束をほうり投げ、仰向けにどしんと身を倒した。

三次郎は越前堀《えちぜんぼり》で生まれた。父はしがない叩《たた》き大工だったが、彼が七歳のとき死んだ。それで大鋸町の高橋屋徳兵衛のもとへ、母のお力《りき》といっしょに引き取られた。徳兵衛は錺職だったが、職人も三十人ほど使い、なかま内《うち》ではかしら株としてたてられていた。三次郎の亡父とは従兄弟《いとこ》にあたる縁で、母子《おやこ》の面倒をみることになったのである。

母親はそこで下働きのようなことをしていたが、もともと体の弱いひとで、いつも額の蒼白《あおじろ》いのが目だっていた。親子で世話になっているというひけ目もあって、無理を押し続けたのが悪かったのであろう、三年とたたぬうちに、労咳《ろうがい》というものを病んで良人のあとを追った。徳兵衛はそのとき三次郎を呼んで、

――泣くんじゃあない、今日からおれがおまえの親父《おやじ》だ、おまえのことはおれがふ

た親になり代わって面倒をみてやる。いいか、高橋屋の子になったつもりでしっかりやれ、おまえが一人前の職人になるまでは、お父さんもお母さんもうかばれないんだから、そいつを忘れずにしっかりやるんだぞ。

自分でも泪《なみだ》をふきふきそう云った。

徳兵衛は親以上の親だった。自分にも男の子が二人あって、これはずいぶん厳しくしつけていたが、三次郎には人が違うように甘かった。どんなわがままを云っても三次郎ならきいてくれた。……彼が十八歳のとき、習い覚えた鎊職をやめて、時計師になりたいと云いだしたときも、仕事の筋がずばぬけていただけずいぶん反対したいらしかったが、

——おまえがどうでも成りたいと云うんならやってみな、ただし中途でいやになったからって云うくらいならやめたほうがいいぜ。

そう云って許してくれた。

漏刻《ろうこく》とか水時計《みずどけい》とかいう原始的なものは別として、歯車組織の機械時計というものが、はじめて日本へ渡来したのは天文十九年（一五五〇年）のことである。葡萄牙《ポルトガル》の布教師ザビエルが持って来たもので、周防《すおう》の大内義隆《おおうちよしたか》に献納した。そののち、天正十九年（一五九一年）、羅馬《ローマ》使節の一行が、やはり機械時計を持って帰り、慶長十一年

（一六〇六年）にはやはり布教師が家康に献納している。文字盤の字は羅馬数字で、動力はゼンマイだった。……これらの渡来品を土台にして、日本人が自分の手で時計を作りだしたのは、尾張《おわり》の津田《つだ》助左衛門《すけざえもん》が最初だと伝えられる。その後おいおいと時計師というものがあらわれたが、なにしろ十分な材料もない時代に、ほとんど鑢一梃《ちょう》でこつこつ仕上げるのだから、その労力だけでも想像以上の困難な仕事だった。一個の時計を作りあげるのに、数年を要するものも少なくなかったのである。

京橋岩町河岸の小林八郎兵衛という時計師の店へ弟子入りをした三次郎は、錺職ですばぬけていただけ板金《いたがね》の扱いは手のものだし、好きと才能が合ったものかめきめきと腕をあげた。そして二十四歳の年にひとり立ちになり、八郎兵衛の世話でお兼を女房にもらったうえ、この薬研堀の裏へ家を持ったのである。

その当時はまだ時計は大名道具だった。町家《ちょうか》でも使わなくはないが、製作に日数と手間が掛かるので、しぜん価《あたい》が高値になる。それでもざっ通《とお》りな品《しな》なら、作りさえすれば必ず売れるので、ふつう時計師といわれる者はかなりめぐまれた商売にはなったのである。……しかし三次郎はざつな仕事はしなかった。人には作れない物、人の考えない新奇な工夫、いつもそれを第一にしていた。そうすれば材料も手間もよけいかかるし、製品が高価になるのは当然で、出来てもなかなかおいそれと買い手はつかない。したがっていつもひどい貧乏に追われていた。

三

借金に次ぐ借金、ぬける当てのない貧苦のなかで、しかし三次郎はよく頑張《がんば》った。——飢え死をしたっておれにはざつな仕事はできねえ。食うだけなら乞食《こじき》だって食う、間に合せの仕事をするくらいならいっそ乞食をするほうが本筋だ。

彼はそう云っていた。石にかじりついてもという気持で四年やって来たところへ、その春のはじめに、薩摩藩《さつまはん》島津家から競作の注文がでた。灘屋七之助《しちのすけ》、和田貞次郎《わだていじろう》、そして三次郎の三名に、九月を切って一個ずつ時計を作らせる、その出来ばえのよい者を御抱《おかか》え時計師にするという条件だった。

……灘七も和貞もその道の先輩で、すでにかなりの名作を持っていたが、三次郎にはとっておきの工夫があった。この工夫さえ完成すれば誰《だれ》にも負けない自信があったので、よろこんでひき受けた。

彼の工夫というのは、現在のオルゴオルのように、時が来ると歌曲を鳴らす仕掛けだった。それまでにもわずかな音階を鳴らすものは舶来品にあったが、和時計として、しかもある曲目を奏するものはなかった。彼は琴曲《きんきょく》の「六段」の序を鳴らすものを作ろうと考えたのである。それはかねてからの懸案だったし、本腰をいれて掛かれば工夫はつくものと思っていた。ところがいざとり掛かってみるとむずかしかった。すぐ眼の前に解けかかっているようでいて緒口《いとぐち》がほぐれない、時はずんずんたつし、貧苦も容赦はなかった。

――おれはざつな仕事はしねえんだ。

そういう自負が支えてくれるほかには、彼にはもう頼るものがないところまで追いつめられていたのである。

ひどい喉《のど》のかわきで三次郎は眼がさめた。

明るい朝の光が雨戸のすき間から美しくさしこんでいる、あのまま眠ってしまったものであろう、ごろ寝の上に、それでも蚊屋《かや》がつってあった。枕《まくら》もとをみたが水がきていなかったので、ひょいと起きあがると、格子《こうし》のあく音がして誰か来た。

――朝っぱらからまたか。

ながい習慣で人がくると借金取りだなと思う、舌打ちをしてまた仰向けになるところへ、お兼がはいって来た。

「おまえさん財布をくださいな」

「財布はそこにあるが、中はからだぜ」

「だって、……きのう大鋸町《おおがちょう》さんへ行ったんでしょう」

「大鋸町へ借りに行ったのは地金《じがね》を買う金だ」

「それにしちゃあ御機嫌《ごきげん》でしたね」

お兼は声をふるわして云った。

「なんだと！」

「ゆうべはたいそう御機嫌だったと云うんです、御機嫌ついでに借金の云いわけもしてくださいな、あたしにはもう云いわけの種も尽きましたからね、おたのみ申しますよ」

三次郎は突きとばされたように立った、お兼は打たれでもすると思ったか、ひょいと身をひねったが、三次郎はずかずかと出て行った。上《あが》り框《かまち》に半纏着《はんてんぎ》で尻端折《しりはしょ》りをした男が立っていた。

「おめえなに屋だ」

ずかずかと出ていきなりそうどなったから、相手はちょっとめんくらったらしい。

「上総屋《かずさや》でございます、米屋でございますよ」

「米屋だろうが薪屋《まきや》だろうが、勘定ならいま銭はねえ、また出直して来てくれ」

「けれどもずいぶんお長くなりますから」

「おいらの仕事は長くなるんだ、おめえんとこのように届けさえすれば勘定のとれる商売じゃあねえ、半年も一年も精根をけずってやっと一つ出来るか出来ねえという仕事をしているんだ。きのうやきょうの出入りならべつだが、そのくらいなことはわかっていそうなもんじゃねえか」

「ようござんす、それじゃあまた伺うとしましょう」

　米屋はしずかに見あげながら云った。

「それから、都合のつくまでは米もお届け申しますよ、だがねえ親方、おまえさんが時計師ならあたしは米屋だ、時計作りは精根をけずるが米屋はちょろっかに出来るというわけのものじゃあない、職となればなに職だって骨が折れる、みんな精根をうちこんでやってるんだ。……どこにだって都合があるんだから、いま払えないものをもらおうとは云いません。世間は持ちつ持たれつなんだ、おまえさんのように自分ひとりが偉そうに、そうぽんぽん云うことはありませんぜ」

　だが米は今までどおり届けますと云って、米屋はさっさと帰って行った。

　三次郎はなんにも云わずに台所へとびこみ、水瓶《みずがめ》からじかに、柄杓《ひしゃく》でがぶがぶと水をあおった。そして仕事場へ戻《もど》ろうとすると、小さな風呂《ふろ》敷包《しきづつみ》をこしらえていたお兼が、妙に改まったようすで呼び止めた。

「……なんだ」

「あたしはお暇をいただきます」

「なに？」

「できるだけは辛抱してきましたが、あたしにはとても勤まりません。実家《さと》へ帰らしていただきます」

三次郎は身のまわりのなにもかもが、一時にがらがらと総崩れになるような気持を感じ、お兼の眼をにらみつけたまま棒立ちになっていた。……露路口《ろじぐち》の柿《かき》の木でやかましく蟬《せみ》が鳴きだした。

四

いちどは畜生と思った、なにくそと思った、けれどもそんな反射的なあたまで緻密《ちみつ》な機械の工夫がつくものではない。

——もう灘七も和貞も組立てにかかっている。

——職人は期限を守るのもたいせつだ。

そんな言葉が耳の奥でがんがん響く、島津家の期限の「九月」という字が、重石《おもし》のように肩へのしかかってくる。

「ええ、どうともなれ」

三次郎は家をとびだした。身のまわりで絶えず、なにかがらがらとくずれゆく気持だった。彼は四年のあいだに「名作」とも云うべき時計を三つ作っている、それは後世にのこして恥ずかしからぬ作だと信じているが、世間はその真価を認めてくれなかった。三作とも結局は、追われる生活のために安い値段で手放さなければならなかった。三次郎はいま、そのときのくやし泣きを思いだした。

「どうせ俗物ぞろいの世間だ、おれの本当のねうちは誰にもわかりゃしねえんだ、へ、あくせくすることたあねえや」

そうすることが世間への面当《つらあて》でもあるかのように、彼はなにもかもほうりだして酒へはしった。

三次郎の気質を知っている長屋の人々は、お兼が自分から出て行ったと聞いてひどく同情を寄せた。近所の女房たちはよく食べ物をこしらえて来てくれたり、手まめに洗い物をしてくれたりした、しかしそれは当座のことだった、五日とたち十日と過ぎるうちには、いつも泥のように酔って帰る彼の姿をみると、みんなそっぽを向くようになった。……四年間の貧苦で、めぼしい物はなにもなかったが、彼はそのないなかから叩き出すように、あらいざらい売って飲み、恥も外聞もなく小銭を借りまわって飲んだ。人々はある夜、彼が居酒店からほうりだされる姿を見た、またある雨の夜に、露路口の柿の木の根元で酔いつぶれているのを見た、……そして、二十日あまりたったある日、三次郎はその長屋から姿を消した。

「いい気性の男だったがな、運が悪くなると人間しようがねえものだ」

「年は若いがあれでも時計師なかまじゃ名人と呼ばれていたそうだ」

そんな噂《うわさ》がひとしきり長屋をにぎわしていた。そしてある日、大鋸町の高橋屋徳兵衛がやって来た、徳兵衛はなにも知らなかった、それでいろいろ三次郎のゆくえをききまわったが、あれ以来だれも見かけた者がなく、むろん居どころを知った者もなかった。彼は家主に会い、半日ばかりなにか懇々と話していたが、やがてしょんぼりと帰って行った、まるで一人息子をなくした老父のような姿だった。

秋といっても八月はまだ残暑がひどかった。その年の夏のとっかかりから、浅草奥山にかかっていた「南京手妻戯団《ナンキンてづまぎだん》」の興行は大当りで、八月にはいっても連日押せ押せの入りをとっていた。

朝からさえなかった空が、午《ひる》をすぎると雨催《もよ》いに曇ってひんやりと肌《はだ》にしみる風がはたはたと幡旗《はんき》をはためかせていた、それでも掛け小屋の中は九分の入りで、銅鑼《どら》や胡弓《こきゅう》などの疳高《かんだか》い楽音《がくおん》のあいまあいまに、どっとはやし立てる見物の声が景気よくわきたっていた。……舞台では五人組の皿廻《さらまわ》しが終わったあとで、いましも道化の口上役が、片言の日本語で次の芸題《げだい》を述べていた。見物たちにはなじみのものとみえ、口上のなかばからさかんな声援だったが、やがて舞台へ男女ふたりの芸人が出て来ると、いっぺんに騒ぎがしずまり、小屋じゅうが水を打ったようにしんとしてしまった。

見物席へかるく一揖《ゆう》した男女は左右へわかれた。舞台の上手《かみて》に畳一畳ほどの厚い板が立ててある、女はその板へ背中を当て、両腕をひろげて立った。ちょうど磔《はりつけ》になったような形である。男は下手《しもて》に立った、そばの小机の上には、両刃の小さな鋭い短剣が三十本ばかり置いてある、まずその一本を取った男は、きっと眼をあげて女をにらんだ。……

「しっかり頼むぞ！」

見物席から叫んだ者があった。

「叱《し》っ黙れ、田舎者」

すぐに制止のわめきが起こって、期待と昂奮《こうふん》に満ちた沈黙が人々をおさえつけた。

女は男の眼をみつめた、男も短剣を右手にして女の眼をみつめた、五秒、十秒、……やがて男がすっと右手をあげるとみた。刹那《せつな》、短剣が空をきって飛び、女の頭上すれすれに後ろの板へ突き立った。あっと云うまもない、つづいて男の手から糸をひくように、きらりきらりと短剣が飛び、それが手をひろげて立った女のからだの周囲へ、まるで輪劃《りんかく》を描くように、つぎつぎとみごとに突き立っていった。

わあっわっと、どよみあがる見物の喝采《かっさい》をあびながら、ふたりの南京芸人が愛想よく舞台をひっこんだとき、みすぼらしいなりをした若者がひとり、見物の群衆をかきわけて小屋のそとへ出て行った。まるで瘧《おこり》にかかったように全身がふるえていた、そとはぽつぽつと降りだしていた。

五

徳兵衛はだまっていた、腕組みをしたままだまって三次郎をみていた。軒《のき》をうつ雨の音がしみじみと初秋の季節を感じさせる、げっそりとやせ、鬢髪《びんぱつ》のおどろに乱れた三次郎の横顔を、行燈《あんどん》の光が幽鬼の面のようにうつしだしていた。

「ただ勘弁してくれじゃあわからない」

徳兵衛はやがて低いこえで云った。

「悪かったの、勘弁しろのと、人間困ると口ではどんなことでも云うもんだ、おらあそんな泣き言は聞きたくはないぜ」

「そうおっしゃるのはごもっともです、あたしもいまさら親方の前へ、勘弁してくださいと出られた義理でないことは知っています。だから本当は、……勘弁していただこうなどとは思っちゃあいません」

「じゃあなんのために来たんだ」

「お詫《わ》びが云いたかったんです、二十年ちかい育ての御恩がどんなにありがたいものだったたか、今日はじめてわかったんです。いい気に甘えて、のさばっていた自分のばかさが今日はじめてわかったんです」

三次郎はくくと喉を鳴らしながら、畳へ額をすりつけた。

「親方、堪忍《かんにん》しておくんなさい」

骨のみえるような肩から背へ波をうち、くいしばった歯の間から、むせびあげる声が悲痛にもれた。そうしてむせびあげつつ、

「今日あたしは、奥山で南京人の見世物をぼんやり見ていました」

と途切れ途切れに云った。彼は女の体の周囲に剣《つるぎ》を投げて突き立てる、あのみごとな芸をひと通り話して、

「あたしはそのとき」

と面《おもて》をあげて云った。

「板を背に立っている女と、剣を投げる男の眼をみてびっくりしました、真剣な眼つ

きでした、手もとに一分《ぶ》の狂いがあっても女は無事ではすみません。一所懸命なんです、心魂《しんこん》を凝らしたひたむきな眼つきでした。……親方、あたしはその眼を見てはっとしました。自分が仕事をするとき、ああいう眼をしただろうか、あれほど真剣な、一分のすきもない眼をしていたろうか」

三次郎はわなわなとふるえる手で、自分のやせた胸を叩《たた》きながら云った。

「その南京人の芸人は、一人十文《もん》の見料で見せる見世物のたくさんの番組のなかの一つです。銭にすれば鐚《びた》にもつかぬしがない芸です。そんな芸でもあれほど真剣な眼つきをしてやっているんだ、それなのにあたしはどうだ、いっぺんでもあんなひたむきな眼つきで仕事に向かったことがあるか。……親方、あたしはそう思ったとき眼がさめました。高の知れたやせ腕に己惚《うぬぼ》れて、期限のある仕事はできねえの、世間にゃあ眼がねえのと、ひとりよがりの世迷《よま》い言《ごと》をならべていましたが、いま考えるとばかの骨頂、めくらの絵説きでございます、面目なくって身の置き場もございません」

彼は泣きながら、いきなりそこへ両手をついてうめくように云った。

「親方、堪忍しておくんなさい」

庇《ひさし》をうつ雨の音がはらはらと聞こえた。徳兵衛はだまっていたが、さすがに胸はいっぱいで、その眼には涙が光っていた。……食いつめて転げこんだとまでは思わなかったけれど、途方にくれたあげく、いつもの甘えた気持でやって来たなとは考えた。だから手厳しくあしらったのだが、それがまるで見当ちがいだとわかった。それだけではない、掛け小屋の旅芸人の眼つきさえ見のがさなかった三次郎の、ひとすじな職人気質《かたぎ》には、聞いていているほうで涙のでる気持だった。

――その南京人の芸を見ていた見物の数は少なくなかったろう、けれどもその芸人の眼つきに気づいた者がいくたりいたか、おそらくおれにしたって気づかずにすませたろう。それを、三次郎は見のがさなかった。

「そうか、おまえそこに気がついてくれたか」

やがて徳兵衛はしずかに云った。

「そこに気がつけば、もうおれからはなにも云うことはない、仕事はやるだろうな」

「へえやります。生まれ変わった気でやります」

「じゃあ薬研堀へ帰んな」

「…………」

「心配することはない、おまえの出たあと始末はしてある、家もそのまま明けてある、帰って行きさえすれば仕事に掛かれるんだ」

「……親方」

「礼は時計が仕上がってから聞こう」

徳兵衛はそう云って立った。

「おい誰かいねえか、三次郎に足駄《あしだ》と傘《かさ》を貸してやれ、それから提灯《ちょうちん》もいるぜ」

六

秋十月はじめのある夜、薬研堀の三次郎の家では、燈《あかり》が煌々《こうこう》とついて、人々の笑いさざめく声が、露路いっぱいに響いていた。……三次郎の作った時計が、灘七と和貞の二作を抜いた出来で、彼は首尾よく薩摩藩の御抱え時計師になった。今宵《こよい》はその祝いで、家主の長兵衛が音頭とりになり、長屋じゅうがみんな酒肴《さけさかな》を持ち寄って、宵のうちから破れるような騒ぎだった。徳兵衛はわざと姿をみせず、その代わりに酒と肴を余るほど届けてよこした。

「さあ陽気にやろうぜ、なにしろ長屋内から薩摩さまの御抱え時計師を出したんだ」

「なによう云やあがる、てめえなんざさ不断ろくすっぽつきあいもしねえで、こんな時ばかり背負《しょ》って立つようなことをぬかすな」「よさねえか竹《たけ》」

長兵衛が叱《しか》りつけた。「そう云うてめえだって、不人情じゃあ負けねえほうだぞ、けれどもそんなことはどっちだっていい、こうやってみんなが持ち寄りで祝う気持に嘘《うそ》はねえんだ、それだけでいいんだから陽気にやんな。おい源兵衛さん、今夜はまだ大漁節は出ないのかえ」

「へっへっへ、実はそれを待ってたんで」

「いやな笑いかたをするな」

「そうお言葉のかかるのを待ってたんで、早速ひとつ御祝儀《ごしゅうぎ》として拙《せつ》の喉《のど》を、おっほん、まず本場の大漁節……」

魚屋の源兵衛という男が、前へいざり出て唄《うた》いだそうとした時、門口《かどぐち》におとずれる声がして、誰かはいって来た。

「ちょいと待った、お客のようだぜ」

そう云って立って行ったひとりが、すぐ妙な顔をして戻って来た。

「三次郎さん、お兼さんが来ましたぜ」

「なにお兼が来た」

そう云ったのは家主の長兵衛だった。そしてみんながあっという間もなく、彼は自分でずかずかと出ていった。明るい燈火をまぶしそうに、お兼がしょんぼりとひとりで立っていた。

「お兼さん、おまえどの面《つら》さげてここへ来なすった。ここはおまえなんぞの来るところじゃあねえはずだ、とっとと帰ってくんな」

「うちの人に会わせてください」

「ならねえ、おまえさんは三次郎がお大名の御抱え時計師になったと聞いて、元の鞘《さや》におさまるつもりで来たんだろう、貧苦はいやだが出世した男には添いてえ、そんな根性が今日《こんにち》とおると思ったら大間違えだ、たとえ三次郎がうんと云っても家主のおれが不承知だ、さっさとここを出て行ってくんな」

「そうだそうだ、貧乏が辛《つら》くて逃げだすような女房は人間じゃあねえ、水でもぶっ掛けて追いかえしてしまえ」

みんなも声をそろえて罵《のの》りたてた。そのとき三次郎が家主の前へ割ってはいった。

「待っておくんなさい、大家さんまあ待っておくんなさい」

「おまえさんは黙っていな、おまえさんが出ては」

「いいえ待ってください、あなたの気持はありがたいと思います。けれどもそれは少し違います」

「違うって、おれが間違ってると云うのか」

「そう云っては言葉が過ぎます。けれども大家さん、長屋のみなさんもちょっとお待ちください」

三次郎は手をあげて制しながら云った。

「お兼はなるほど立派な女じゃあございません。あなたがたの眼には不人情なやつと見えるかもしれません。けれどもあたしには四年間つれ添った女房です。あたしのために苦労という苦労をしつくした可愛《かわい》い女房なんです」

「…………」

「夫婦の仲は世間にはわかりません、お兼は出来ない辛抱をしてくれました。出来ない辛抱です、お兼でなくっても逃げださずにはいられなかったでしょう、悪いのはあたしです、お兼に罪はありません、あたしはいつも心で詫びていたんです、どうかお兼をゆるしてやっておくんなさい」

みんなひっそりと音《ね》をひそめた、その死んだような沈黙を割って、お兼が家主の前へわっと泣き伏した、そして涙にむせびながら云った。

「大家さん堪忍してくださいまし、あたしは今の今まで、大家さんのおっしゃるとおりの気持でした、うちの人がお大名の御抱えになったと聞いて、出世したさに帰って来たんです。でも……いまのうちの人の言葉で眼が明きました、おれのためには可愛い女房だという、あのひと言で眼がさめました。大家さん、あたしは元どおりの縁にしてくださいとは申しません、ただ半年《はんとし》でも三月《みつき》でもいい、うちの人の女房になれるかどうかを試させてくださいまし、それだけがお願いです、長屋のみなさん、どうかお口添えをなすってくださいまし、お願いでございます」

もらい泣きの声が、すみにいる長屋の女房たちのあいだに起こった。長兵衛も拳《こぶし》で眼を押しぬぐいながら、

「わかった、もうなんにも云わねえ、いいから上がってこっちへおいで」

「では堪忍してくださいますか」

「詫びは亭主《ていしゅ》に云いな、三次郎はもったいねえ亭主だぜ」

「ありがとうございます」

お兼がふたたび泣き伏したとき、仕事場のほうでふいに金属性の美しい音楽が鳴りはじめた、少し舌っ足らずの調子だが、あきらかに琴曲の「六段」の序であった。

「あっ歌時計が鳴りだしたぜ」

「行ってみろ、島津さまへあがっちまえば、二度とは拝めねえ大名道具だ」しめっていた家の中が急に明るくなり、みんな先を争って仕事場へかけこんで行った。

「お兼、聞いてくれ」

三次郎はお兼の手をとった。

「あれがおれの作った歌時計だ、仕上げる間がなかったので、お買上げと定《きま》ったもの

を持って来てあるんだ、……あれが仕上がるとおれは島津さまのお抱えだ、よろこんでくれるか」

「おまえさん、堪忍してくださいまし」

お兼は良人《おっと》の膝《ひざ》へ頬《ほお》をすり寄せた、歌時計は美しい韻律で鳴りつづけていた。

（「譚海」昭和十七年七月号）

風格

一

眸《ひとみ》が自分に愛情をもっているということを松室《まつむろ》君がはっきり自分に納得させるまでにはずいぶんと長い時が必要であった。

眸がはじめて彼に微妙な意志表示をしたのは五年まえのことで、そのとき彼女は大胆な眼《め》つきをしながら、「松室先生、どこかへあたしをトリップに伴《つ》れて行ってくださいません？」と云《い》ったのである。

それは疑うまでもなく彼女が待ちきれなくなっていた感情の表白であったのだが、松室君は静かに微笑《ほほえ》みながら、「君もそういうことを云う年になったのかね」と答えただけであった。

そのとき彼は眸の表白を感じなかったのではない、むしろ少女の言葉がもっているニュアンスのどんな隅《すみ》までも了解したのであるが、そういう了解のしかたを自らたしなめるのを松室君はエチケットとしていたのである。

それからまもなく眸は、兄の平吾《へいご》君が始めた酒場へ手伝いに出るようになり、松室君もしばしば友達を伴れてそこへ現れたが、ふたりの関係はそのままながいことなんらの進展をしなかった。――もっともそのあいだに、松室君の周囲にいる青年たちが、はやくも眸のまなざしや松室君のそれに応《こた》える表情から、ふたりをつないでいる一種の情緒を感じとっていたことは云い添えなければなるまい。同時にまた松室君がそういう青年たちの敏感につきまとわれるのを煩《わずら》わしく感じて、「プシケを掠《さら》う風神《ザイール》には髭《ひげ》がない」という即興詩を示したこともいちおうここに記しておかなければならぬ。

松室君は若いうちから長者の風をそなえていた。一例をとってみれば、彼ははやくから仏蘭西《フランス》語と数学に達していたし、また象徴派の詩にもすぐれていた、そしてこれらのうちどのひとつにおいてもじゅうぶんに一家を成すだけの才能を示していたにかかわらず、松室君の場合にはそれが奇妙なことにどうしても旦那《だんな》芸になってしまうのである。――つまり彼の風格は彼みずからのすぐれた才能をさえ喰《く》ってしまうほど立派であったのだ。

X大学の仏文科に入ると間もなく、同志を集めて『箒木《ははきぎ》』という詩の雑誌を創刊したが、そのとき松室君は十七人の仲間でいちばん年少であったのに、いつかしら主幹の地位を占めてしまい、それを誰《だれ》一人として不審に思う者がなかった、そればかりではなくかえって、その頃《ころ》まだそれほどひろく知られていなかったジャン・コクトオの新しい詩をつづけざまに紹介する松室君の逞《たくま》しさにみんな圧倒されていたくらいであった。

その時分『箒木』の同人はしばしば茶の会をひらいて、文壇の人たちや学校に講座をもっている文学者を招待したが、そうした席における松室君の態度はほとんど仲間の羨望《せんぼう》の的になっていた。たとえばその頃主知派の詩人として一世に名をあげていた渡《と》春六平《はるろっぺい》氏が席にいたとする、——みんな固くなって隅のほうにすっかりかしこまっているとき、松室君だけは背の高い体をそりみにして贅沢《ぜいたく》なイギリス煙草《たばこ》をふかしながら、少し鼻にかかった含み声で「渡春さん、何々はこうではありませんか」とかあるいはまた、「何々はこうでありましょうか、こうこうで……?」

などと話しかけるのだ。

あるとき仏文科の教授で同時に特異な情痴小説の作家として知られた永野庄吉《ながのしょうきち》氏が、その愛人を伴れて帝国ホテルの舞踏会へ行ったことがある、そのとき一隅《いちぐう》から立って来て氏の愛人にプロポオズした青年が、教え子の松室君であるのを知って少からず驚かされたという話は有名であった。

かくて松室君は同人たちから自分たちの仲間とは違うというような畏敬《いけい》の眼で見られたばかりでなく、やがてはずっと先輩の人たちとも友達づきあいをするようになり、そしてすこしもそれが不自然でなかったのである。

学校を出るとともに、『箒木』の同人の中から三人ばかり作家として文壇へ出た、松室君もそのうちのひとりで、数年のあいだは熱心に作品を発表していたし、世評もべつに悪いほうではなかったのであるが、やがて彼は自分のまえに奇妙な状態が生じてくるのを知った。――それは、いつも自分が『別者』の扱いを受けているということである、作品がたとえもっとも高い価値をもっていたとしても、それが松室左喜男《さきお》の作である場合には『別物』とされてしまうのだ。この奇妙な現象を適確に説明することができるであろうか。

数年のあいだに松室君の存在は文学に携わる人たちのあいだで知らぬ者のないほど有名になり、その人たちは誰も彼も松室君の立派な風格と博学とに尊敬の眼を向けた。彼の周囲にはいつか多くの青年が集まってきた、そして新しい文学運動の議論などが出るときには、「松室さんはこう云われた」とかまたある者は、「松室先生がこう云われたからそれはこうである」とか云い合うのである。

しかし結局それはそれだけのことでしかなかった、彼がどんな傑作を書こうと、どんなに卓抜な文学的意見をもっていようと、誰ひとりとしてそれに反対する者もなく、したがってまた現実的関心をももたないのだ。

「松室さんがこう云われた」とかあるいはまた、「昨日松室君が誰それと酒を呑《の》んでいた」とか云う、それだけで人々にはじゅうぶんであったのだ。

こういう時期に眸が現れたのである。

彼女はやはり松室君の家へ出入りをしていた画家の妹で、はじめて会ったとき彼女はまだ十六でしかなかったが、すんなりした体つきのわりに肉付の良い、腰のまるい眼の大きな少女で、人を見るときのまなざしには云い知れぬなまめかしさが含まれていた。

彼女が青年たちのあいだに烈《はげ》しい情熱をまきちらしたのは云うまでもない。しかし松室君だけはそういう魅力を受取ることが無礼であると思い、自分のなかにふくれあがってくる愛情を冷やかに摘み取っていた。

二

「プシケを掠う風神には髭がない」

そういう即興詩を青年たちに示してから間もなくのことであった。ある朝、松室君が珈琲《コーヒー》をすすっていると何のまえぶれもなく眸が訪ねて来た。

そんなことは数年このかた無かったので、黒ずくめのドレスを着て豊かな肢体《したい》の線をあらわに見せた眸が、不意に書斎の硝子《ガラス》窓を外から叩《たた》いたとき、松室君は思わずどきりとして熱い珈琲で舌を焦《こ》がした。

「お邪魔ではありませんか？」

「いや」

松室君は動揺した気持を隠しながら答えた、「かまわないからお入り、そのドアが明いているはずだ、——靴《くつ》のままでいいよ」

眸は部屋へ入って来ると、示されたソファにかけてなつかしそうに書斎の中を見廻《みまわ》した。松室君は女中に珈琲を命じてから、パイプに火をつけて眸の前へ腰をおろした。

「どうしたんだ、ばかに早いじゃないか」

「すみません」

眸は充血しているためどうかすると淫蕩《いんとう》にさえ見える眼でじっと松室君をみつめながら云った、「まだ先生はおやすみでしょうと思ったのですけれど、お願いがあったものですからおでかけにならないうちにと思って……」

「なんだね、お願いとは」

「云ってもいいかしら」

眸は肩をすくめながら、猜《ずる》そうにくすっと笑った。そして松室君が微笑しながら黙って待っていると、不意に話題を変えて松室君の周囲に集まる青年たちの品評を始めた。

「佐野さんのこと先生どうお思いになって、ずいぶんあの人おかしいわ」

「どうかしたのかね」

「いいえ、なんでもないんですけれど」と今度はまた急に眉《まゆ》を曇らせ、「あたしがこんなこと云ったなんておっしゃらないでね先生、本当はね、佐野さんはあたしに結婚を申しこんでいるんですって、――いやですわあたし」

松室君はこのときもう一度はげしく動揺した。佐野勇吉《ゆうきち》は青年たちのなかでもぬきんでた才能をもっている男で、容貌《ようぼう》もすぐれていたし家も良かったから、眸の相手としてはじゅうぶんに資格があるのだ。

「君に直接申しこんだのかい」

「いいえ、兄さんから話があったんですの、でもあたし佐野さんは好きになれないんです、なんだか怖いわあの人」

「頼みというのはそのことかね」

「いいえ違いますわ」

眸は強く否定したが、それには隠しきれぬ混乱があった。

「ゆうべ瀬尾《せのお》さんがいらっしゃいましたわ」

「ふーむ」

「あのかたとてもむっつり屋ねえ、いつも頭をぼうぼうにして、それに……」と云いかけたが、松室君の不興げな表情に気付いたか慌《あわ》てて話を戻《もど》した。

「お願いっていうのはねえ先生、――あたし小説を書いてみたいんですの、こんなことをしていて結婚までひきずられてしまうのが、とてもこの頃つらくなってきましたわ」

しかしそれが彼女の本当の頼みでないということは松室君にすぐ分った。彼女もまたそれを感じたのであろう、気乗りのしない調子でしばらくとりとめないことを話していたが、やがて思い出したようにソファから立上って、「あたしもう帰らなければ」と呟《つぶや》くように云った。

彼女の体がそんなにも激しく匂《にお》ったことはない。充血した眼はいらいらと動いてやまず、絶えず何かに唆《け》しかけられているように、乳の盛上った胸が高く波打っている。そしてしなしなした長い手指までが紊《みだ》れきっている心をそのまま表現するように黒いドレスの上を悩ましげに這《は》い廻るのだ。――こういう雰囲気《ふんいき》に松室君の堪《た》えられぬのは云うまでもない、彼は自分の感覚が眸の放つみだらな温度にひき寄せられるのを知ると、わけの分らぬ忿《いか》りを感じながら立上った。

眸は帰って行った。

三

一週間ほど経《た》ったある朝、同じような時間に松室君は眸から電報を受取った。「旅行のおしたくで十一時までに東京駅までお出《いで》ください、ぜひともお出ください」という意味のものであった。

松室君はそのとき、かつて眸がどこかへ旅に伴れて行けと云ったことのあるのを思い出し、電文のなかに含まれている大胆な、つきつめた感情と比較しながらそっと微笑した。

小さなスーツ・ケースを持って松室君が東京駅の一二等待合室へ着いたのは十一時少し過ぎであった。眸は待ちかねていたように婦人待合室から走り出てきた。

「よくいらしてくださいましたね、先生お怒りになりはしないかと思ってとても心配していましたのよ、うれしいわ」

「どうしたのだね」

松室君は久しぶりで着た合服の衿《えり》を気にしながら眩《まぶ》しそうに相手を見た。眸はすっかり寛《くつろ》いだ調子で、先日と同じ黒いドレスの胸で手を握りあわせ、こみあげるような微笑をたえず顔いちめんに刻みあげていた。

「あたし兄と喧嘩《けんか》をしてしまいましたの、それでもう帰らないからって出て来たんですけれど、本当はそのとき先生にお願いしてどこかへ伴れて行っていただこうと独りできめてしまったんですわ……だって松室先生ったらいくらお願いしても約束ばかりで一度も伴れて行ってくださらないのですもの」

　眸の眼はつきあげるような愛情にきらめいていたし、体ぜんたいが抑えきれぬ意慾《いよく》にゆれて、遠慮会釈《えしやく》もなく荒々しい情熱を松室君に浸《し》みこませるのだ。

「どうして平吾君喧嘩などをしたんだ」

「あとでお話しいたしますわ、でも……本当は佐野さんのことなんですの、兄はあたしに承知しなさいと云うしあたしはどうしてもいやなんです、どうしても」

　眸は言葉尻《ことばじり》に力をこめて云いながら、洞察《どうさつ》することのできぬまなざしで強く強く松室君をみつめ、またしても身をゆりあげて、「それより早く切符を買いましょうよ、向うへ行ってから何もかもお話しいたしますわ。あたしうれしくってじっとしていられないのよ、この気持が先生に分ってくださったらいいんだけれど……」

「どこへ行きたいんだ」

「京都がいいわ、ねえ京都にしましょうよ」

松室君はいつか眸の荒々しい情熱に動かされていた、こうしてのしかかってこられることを、拒む余地を与えぬ逞しさを松室君のエチケットはひそかに待っていたのである。そして彼はそれを摑《つか》んだ。

「荷物は……?」

「このままですわ」

眸はハンド・バッグを持っただけの両手をひろげて微笑した。

松室君は眸を待たせておいて外へ出た。平吾君に眸を伴れて旅に出るという電報をうち、それから丸ビルへ入って二三の買物をした。そのなかには眸に着せるためのなまめかしい薄紫のピジャマも加わっていた。

松室君が女とこういう交渉をもつのはむろんそれが始めてではない、それにしてもこれは今までのどのひとつと比較することもできぬほど新鮮な魅力をもっていた、彼女の体は伸びきった今年竹のように水々しく、薄い衣装の下に現われる筋肉のまるみは、脂《あぶら》ぎった白さを豊富な情欲、それも逞しい若芽のように匂やかな弾みの強い情慾に脈うっている。――彼女がまだ十六の年であった初めてのときから、このかた、体の線が描きだしていたあらゆる未知の慾求は、このごとく成長していま松室君のまえにさし伸べられているのである。

四

松室君がそのとき眸の自分に対する愛情を疑わなくなったことについては、誰にも咎《とが》めることはできないと思う、繰返して云えば、そうなるまでには五年もかかっていたのだ、したがって次に起ってきた事件はまったく彼の責任ではなかったのである。

ふたりが京都へ着いたのは深夜であった、松室君の行きつけは京都ホテルであったが、この新しい冒険のためには新しいベッドが必要である、そこで彼は駅を出るとすぐ、かねて友達に聞いていた御室《おむろ》のほうの旅館へ宿をとろうと思い、手をあげて車を呼んだ。

しかし車がやって来たとき、松室君が行先を命ずるより先に、眸が走って行って、「三条ホテルまで」と云ってしまった。

「君はそんなところを知っているの」

「ええ」

眸はシイトの上で松室君のほうへ体をすり寄せながら、しすましたりという表情で頷《うなず》き、胸いっぱいの秘密をたのしむかのように喉《のど》をふくらませた。

車が進むにつれて眸のようすが落着かなくなってきた、唇《くちびる》は痙攣《けいれん》するように歪《ゆが》み、両手は膝《ひざ》のうえで帛手《ハンカチ》を揉《も》み、それから堪えがたそうに大きく吐息をつくのだ。松室君にはそれがたまらなく可憐《かれん》に思われて、こんなことはじつに些細《ささい》なものだということを幾度か了解させようと考えたが、汽車に乗っているあいだからずっとこのことに話を触れなかったので、それをきりだすきっかけがどうしてもみつからなかった。

車は三条ホテルへ着いた。それは鴨川《かもがわ》に面した洋風の白堊館《はくあかん》で、前庭に芭蕉《ばしょう》を植えこんだ古めかしい建物であった。

先へ車を下りた松室君が、眸の手をとって援《たす》けおろしたときである、「先生——」という聞き覚えのある声をうしろに聞いて松室君がぎょっとしながら振り返ると、一人の青年が学帽をとりながらホテルの玄関から走り出て来るのがみえた。

「…………」

とっさに松室君は眸のほうへ眼をかえした、彼女はしかしもうそのときには青年のほうへ大股《おおまた》に進んで行くところだったのである。

「電報みて……？」

「ああ、それで迎えに行って今帰って来たところなんだ」

「ひと汽車後れたのよ、どうしても家を出られなかったんですもの」

口早に話すふたりの会話がすっかり事情を説明した。青年は松室君の周囲に集まる男のひとりで瀬尾というのであった。

「どうもすみませんでした」

青年は松室君のほうへもう一度頭をさげながら、ちょうどそれは松室君の若い頃のような落着きと自負した調子で云った、「どうぞ先生を利用したというふうにとらないでください、平吾さんや佐野の手から逃れるには、どうしても先生のお骨折りを願わなくてはならなかったのです、――とにかくお入りくださいませんか」

「先生、どうぞ」

眸が青年のあとから云った。

松室君はそのときすでにまったく自分を取り戻《もど》していた。へたな振舞をして自分の混乱したところを見られてはならない、――それが何よりもたいせつなのである。眸がたくみの罠《わな》に自分をおとしたのであるなら、自分がその罠にかかったという認識を彼女に許してはおけないのだ。――松室君は頷いて、ふたりのあとからホテルの中へ入って行った。

ささやかなロビイで十分ほど三人は話しあった、そして十二時の鳴るのを聞くと松室君は立上った。

「ではこれで失敬しよう」と彼は静かに云った、「金が必要なら云ってよこしたまえ、僕《ぼく》は二三日京都ホテルに泊っている、それから……これは君たちへの贈物だ」

「僕たちへですって？」

青年は驚いて包物を受取った。松室君は無表情な眼を壁のほうへ向けながら、「君はいつか眸には何よりも紫が似合うと云っていたはずだ、急いだのでもっと良い物をと思ったのだが間に合わなかった、しかし多分君の気にいるだろうと思う」

「まあ！」

眸が低い感嘆の声をあげた、「では先生、あたしたちのこと御存じだったんですの？」

「このあいだの朝、君自身が僕のところで告白していたじゃないか」

「猾《ずる》いわ先生、もうあのとき知ってらしったのね、いやだあ」

「君」と松室君は振返った、「これからは無精をしてはいかんぜ、眸は僕にそれを云いつけに来たんだ、もっと剃刀《かみそり》を当てたまえ」

「プシケを掠う風神《ザイール》には髭がないですか」

青年と眸とは声を合せて笑った。

松室君はみごと罠を返上した。

青年は自分がかつて——眸には紫が似合う——と云ったことがあるかどうか、おそらく考えようともしないであろう、そして包の中から薄紫のピジャマが出たとき、それが世界中のどの色よりも彼女に似合うことを発見し松室君が自分たちのことを知っていてとくにそれを選んだということを改めて信ずるに違いない。

松室君は更《ふ》けた道を歩いていた。

彼は危く自分が道化にならずにすんだことを悦《よろこ》んだ。彼らがそのピジャマについて、彼の下心をあえて疑おうとしないであろうことは確実である、――そういう疑いのきりこむ余地を与えないだけのきちんとした風格が自分にあることを松室君はじゅうぶんに知っているのだ。

しかしそれはそれとして松室君が深い憂鬱《ゆううつ》に襲われはじめたのは事実である。そしてその原因が彼自身の動かしがたき風格にかかわっていたことはいうまでもない、彼はそのような危地にはまってさえ立派であった、彼らはなんの疑いもなく彼の行動を信じてしまうのだ……松室君はその風格のためにここでもやはり『別者』であったのだ。

（「アサヒグラフ」昭和十年六月十九日号）

人間紛失

驚いたわ、まったくびっくりしちゃったわよ啓子《けいこ》さん。あなたけさの新聞お読みになって？『――奇怪なる事件。二千人の観客の眼《め》の前で、大劇場の舞台から美しき少女が煙のごとく消え失《う》せた。未曽有《みぞう》の怪事件』という記事があったでしょう。驚いちゃ駄目《だめ》よ、あの事件で私は中心人物になっているの、舞台から消え失せたというのは家の小間使、あなたも知っている混血児のジュリやだったの。――まだ事件がかたづいたばかりでへとへとだけど、あなたにだけくわしくお知らせするわね。

――どこから話したらよいかしら……そうそう、あの晩のことから始めるわ。

一

五月はじめの蒸暑い晩だった。――十時頃《ごろ》に寝台へあがったが妙に寝苦しいので、八千代《やちよ》はなかなか眠れなかった。そしてようやくうとうとし始めたと思ったとき、カタン……。

と、変な音を聞いて眼を覚した。

「――なんだろう」

家の中は森閑と鎮《しず》まって、塵《ちり》の落ちる音まで聞えそうである。いつか月が昇ったとみえて、寝室の中へ水のように青白い光がいっぱいに射《さ》しこんでいた。

「たしかに音がしたようだけど、夢かしら」

呟《つぶや》きながら窓のほうへ寝返りをうった。

枕《まくら》から七十糎《センチ》くらいのところに窓がある。透織《レース》の窓帷《カーテン》が月光を吸って美しく綾《あや》に輝いている。八千代はそれを見ながら眠ろうとした、――と、そのとき、思わず、

「――あッ！」

と、叫びそうになった。

窓から誰《だれ》か覗《のぞ》いている。首をさし伸べて、窓帷越しにじっと寝室の中を覗いているのだ。

八千代は水を浴びたようにぞっとした、――誰だろう、何者だろう？　この深夜に邸内へ忍びこんで何をしようというのだ。見ている……豹《ひょう》のような鋭い眼で覗きこんでいる、――しかもその横顔には、頬《ほお》から顎《あご》へかけて、恐《おそ》しい疵痕《きずあと》のあるのが見えているのだ。

八千代は助けを呼ぼうとした。しかし喉《のど》がひきつって声が出ない。

――入って来たらどうしよう。

そう思うと全身の血が凍るような恐怖に襲われた。――けれどすぐそのあとから、今夜は隣の部屋に従兄《いとこ》が泊っていることを八千代は思い出した。

――そうだ、お従兄《にい》さまがいたわ。

八千代の従兄に当る沢木順吉《さわきじゅんきち》は、帝大の理科に席をおいている秀才で、またラグビーの選手としても腕利《うできき》の青年である。――それがきょうこの家へ遊びに来て、そのまま泊っているのだった。

それに気付いたから、やや心強くなって、八千代は怪漢の動作をそっと見守っていた。

しかし窓の男はべつに侵入してくるようすもなく、やがてすっと身を退《ひ》くと、そのまま影のように横庭のほうへ去って行った。

「ああよかった」

そう思うと同時に、八千代は夢中で寝台をとび出し、隣の部屋の扉《ドア》を叩《たた》いて叫んだ。

「お従兄さま、お従兄さま」

「――なんだい」

「起きてちょうだい、大変よ」

扉が内側から開いて順吉が現れた。――骨組のがっしりした、額の高い眼の澄んだ従兄の姿が、そのときほど頼もしく見えたことはなかった。

「どうしたのさ」

「――誰かお庭にいるのよ」

八千代は手短かにことの次第を話した。――順吉は黙って聞いていたが、すぐにベランダのほうへ出ようとした。

「よし、僕が見てこよう」

「いやよ、おいでになっちゃ危いわ」

「だって捨てちゃおけないよ」

順吉は強く八千代を押しやった。

八千代の父、金沢正三《かなざわしようぞう》博士は世界的な電気学者で、現在この屋敷の中にある研究室では、四五年まえから、『D……電波』という特殊な研究が進められ、すでにほとんど完成しかかっている。これは一種の高周波電波で、五万メートルの距離から飛行機や軍艦を粉砕することのできる、おそるべき能力をもった電波である。――怪しい男が侵入したと聞いたときすぐに順吉は、

――もしや何国《どこ》かの間諜《スパイ》が、その秘密を盗みにきたのではないか？

と、思ったのであった。

「でもお従兄さまひとりでは危いわ」

「ばかな、僕《ぼく》はこれでも……」

そう云《い》いかけたとき、廊下のはずれにある小間使の部屋から、突然絹を裂くように、

「きゃーッ」

という悲鳴が聞えてきた。

「あッ、ジュリやの部屋だわ」

八千代が顔色を変えて振返る、順吉はそれよりはやく脱兎《だつと》のように走りだしていた。

――とっさに、従兄だけでは危いと思ったから、八千代は書生部屋へ駈《か》けつけて、扉も破れよと叩きながら、

「孝平《こうへい》さん、起きて、泥棒《どろぼう》よ」

と叫んだ。――書生の南郷《なんごう》孝平さんは柔道三段の豪傑である。泥棒と聞くなり、木刀を持って猛虎《もうこ》のように廊下へとび出してきた。

「ど、泥棒はどこです」

「ジュリやのお部屋よ。早く来て」

云いながら八千代は走っていた。

二

二人が駈けつけたとき、そこでは沢木順吉が血の気を失ったジュリやに水を飲ませているところだった。——八千代は走り寄って、

「まあジュリや、怪我《けが》はなかった？」

「あ、お嬢さま」

「あいつなにか乱暴して？」

「——あいつって、誰でございますの」

ジュリやは眼を戦《おのの》かせながら訊返《ききかえ》した。八千代はじれったそうに、

「あいつよ、顔に疵のある男」

という、——するとジュリやは不意に烈《はげ》しく頭を振りながら叫んだ。

「ち、違います、誰も来はいたしません。私はただ、——ただ、……鼠《ねずみ》に驚いただけです」

「ジュリや」

「鼠です。鼠ですお嬢さま」

そう云いながら、ジュリやは八千代の差出す手の中へ泣伏してしまった。——疵の

ある男は来たのだ。そしてジュリやはなぜかそれを隠している。

——何か深いわけがあるに相違ない。

八千代はそう気付いたから、

「お従兄さまも孝平さんもいいわ」

と、振返って云った。

「ジュリやは私が看《み》るから、もうお寝《やす》みになってちょうだい」

「——そう、それじゃあ……」

沢木順吉もようすを察したらしく、まだ不審顔の孝平さんを促して出て行った。

——八千代は二人の跫音《あしおと》が遠《とお》退くのを聞きながら、ジュリやの泣き鎮るのを待った。

ジュリやがこの家へ来て半年になる。——母を早く亡《な》くした八千代は、この広い屋敷に父と二人、五人の召使を相手に暮していたが、父の金沢博士は、『D……電波』の研究に没頭しているので、ほとんど父娘《おやこ》が楽しく語らう暇とてもなく、八千代はずいぶん寂しい日々を送っていた。……そこへジュリやが雇われてきた。彼女は欧羅巴《ヨーロッパ》人の父と日本人の母を持った孤児《みなしご》で、栗色《くりいろ》の髪と黒い眸《ひとみ》を持った愛くるしい顔をもち、気質も明るくいきいきとしていた。——八千代はその日からジュリやが好きになり、今では主従というより姉妹のような仲よしになっていたのである。

「さあ、もう誰もいないわ」

八千代が静かに云った。「……私には何も隠さずに話してね。あの男は誰なの、頰に疵のある男は来たのでしょう」

「――参りました」

ジュリやは涙を押拭《おしぬぐ》って答えた。

「何もかもお話しいたしますわ。――お嬢さま、ジュリやはこのお屋敷へ来るまで、ある曲馬団《サーカス》にいたんですの」

「まあ、ジュリやが曲馬団に」

「五つの年から十五まで、綱渡りや馬の曲乗や、奇術や高飛込などをしながら、南洋や満洲《まんしゆう》まで流れ歩きました。そのあいだのどんなに辛《つら》かったことか、――芸を仕損じでもすれば足蹴《あしげ》にされたり鞭打《むちう》たれたり、二日も御飯がいただけなかったり、思ってもぞっとするような酷《ひど》いめに遭わされるのです。私はたまらなくなって去年の夏、とうとうその曲馬団から逃出しました。そしてこのお屋敷へ雇っていただいたのでございます」

ジュリやはひと息ついて、恐しそうに窓のほうへ眼をやった。

「お屋敷へ来てから半年、私は本当に生まれ変ったように仕合せでございました。

——けれど、その仕合せも、もう長くはございません」

「ジュリや、何をいうの」

「お嬢さま、あの疵のある男は、私の逃げてきた曲馬団の仲間ですの。私はみつけられてしまったのです」

八千代は体がぞっと寒くなった。頬に疵のあるあの恐しい男は、逃げたジュリやを連れ戻《もど》しに来たのだという。

「じゃあ警察へお願いしたら？」

「いいえ駄目《だめ》です。警察でも何でもあの男たちは怖れません。下手に騒いだりすると、彼らはこのお屋敷やお嬢さまにまで仇《あだ》をします。——順吉さまにお話ししなかったのもそのためですわ。どうか誰にもおっしゃらないでくださいまし」

ジュリやは涙の溢《あふ》れる眼で、哀願するような、詫《わび》るような眼《まな》ざしで八千代を見上げるのだった。——八千代は頷《うなず》いた。

「いいわ、そんなにいうなら黙ってるわ。でもけっしてジュリやをあの男に渡しはしないから、安心していらっしゃいね？」

「ありがとう存じます」

ジュリやは堪《た》えがたそうにむせびあげた。

三

相手は曲馬団の無頼漢である。いつどんなことをするかもわからないから、八千代は孝平さんによく頼んで、ジュリやの身辺を護《まも》ってもらうことにした。孝平さんは心得て、
「ようごわす。僕が睨《にら》んでいるからには誰にも手出しをさせることじゃごわせん」
と、自信たっぷりに引受けてくれた。
しかしそれからのちはべつに怪しいこともなかった。ただときどきジュリやのもとへ脅迫の手紙がくる。ジュリやはそれをひた隠しに隠していたが、八千代は無理に見せてもらった。——脅迫状などというものは生まれて始めて見るのだが、それはそんなに恐しいものではなかった。
〔——早く戻って来い、さもないとひどいめに遭わせるぞ。支度はできているのだ〕
というのや、〔——まだ決心がつかないのか、早く曲馬団へ帰って来い、俺《おれ》たちはそう我慢強くはないぞ。もし警察へでも訴えたら、そのときは金沢博士一家をみなごろしにするからそう思え〕
その外に四五通もあった。なんでも三日めに一度くらいずつそんな脅迫状がくるら

しい。――けれども実際には、彼らは手出しをしなかった。おそらくこっちが油断をしないのでどうすることもできなかったに違いない。こうして一月ほどはなにごともなく過ぎた。

六月の第一土曜日のことである。――その日八千代は帝国劇場へ行くつもりだったので、学校が退けると大急ぎで帰ってきた。帝劇ではいま、『ブルスカヤ大奇術団』というロシア人の奇術師一行が興行していて、その日の昼興行《マチネー》を最後に大阪へ去るはずである。だからぜひとも観《み》に行くつもりで、父にも許しを得てあった。……ところが帰って来るとジュリやが、

「先生がお待ちでございます」

という。研究室にいて呼ぶなんて珍しいことだからすぐ行ってみた。

「お父さまただいま、何か御用――？」

「ああお帰り」

博士は振返って、「すまないが、また三年町の渡辺中将のお宅まで使いに行ってきておくれ。三時の約束だから」

「あらいやだわお父さま」

八千代は唇《くちびる》を尖《とが》らせて、「今日は帝劇へ行くってお話ししてあったでしょう。お忘

れになったのねえお父さま」

「ああそうか、こいつはうっかりしていた」

「いやあねえ、きょうの昼興行でおしまいなのよ」

「弱ったたな、何時にはねるのかい」

「たしか六時半だわ」

「――しかたがない。それじゃあ帰りに寄ってもらうとしよう。これを届けてもらうんだが」

と、博士は緑色の封筒に入った書類を取出して、「――きょうのはいつもよりたいせつな書類だからね。間違いのないように、中将に直接お渡しするんだよ」

麹町《こうじまち》三年町の渡辺中将の家へは、これまで何度も父の使いで書類を届けに行っている。八千代は元気よく挙手の礼をした。

「は、畏《かしこま》りました父上！」

「くれぐれも過ちのないように頼む、いいね」

「大丈夫です。では行ってまいります」

そう答えて研究室を出た。――すると扉の外にジュリやが来て立っていた。

「まあ、ジュリやそこにいたの？」

「は、はい、何か御用が、あるかと存じましたものですから……」

ジュリやはどぎまぎしていたが、八千代はそんなことにかまわず、

「さあ早く支度してよ。これから帝劇へブルスカヤの奇術を観に連れて行ってあげるわ」

「まあ、——私もですか?」

「無論よ、早く、早く、大急ぎで支度よ」

八千代は浮き浮きとせきたてた。——支度はすぐにできた。渡辺中将へ届ける書類は、赤革の手嚢《ハンドバッグ》へたいせつに納め、車を呼ばせてでかけようとしたが、……ふと思い出して、護衛のために孝平さんを連れて行くことにした。同じ護衛でも帝劇へ行くとなるとありがたい。

「ようごわす、引受けました」

と、孝平さんは大乗気ではりきった。

孝平さんがついていれば、もし例の曲馬団の男が現れても大丈夫である。——三人は車で帝劇へ向かった。

帝劇へ着いたのは一時、ほとんど満員の入であったが、三人は運よく舞台際《ぎわ》から三列めに並んで席を取ることができた。場所としては観にくいが、それでも後に立って

いる人に比べると上等である。——かくて午後一時三十分、開幕の鈴《ベル》が鳴ったときには、さしもの帝劇がぎっしり客で一杯になって、ほとんど蟻《あり》の這出《はいで》る隙《すき》もないまでの盛況を呈した。

事件はじつにこの三千人の観客を前にして突発したのである。

四

軽い喜劇、空中の踊、火や水を使った手品、新しい道具と珍しい技術、『ブルスカヤ大奇術団』はまさに評判以上の好演技をもって、完全に観客を酔わせてしまった。

八千代もジュリやも、

「——まあすごいわねえ」

「本当に、なんてすてきでしょう」

と、何度も讃嘆《さんたん》の声をあげる。滑稽《こっけい》なのは孝平さんで、さっきから鳩《はと》が豆鉄砲を食ったように、眼をぱちくりさせながら、ただ呻《うめ》き声を上げるばかりだった。

番組は進行して午後五時、いよいよ最後の奇術にかかるため十分の休憩になった。

——それまでジュリやは二度も手洗いに行ったが、八千代はずっと席にいたので、この暇にと思ったから手嚢をジュリやに預け、

「ちょっと化粧室へ行って来るわ」

と、云って廊下へ出た。

化粧室はひどく混雑していた。それで思わず時間をとられたため、戻って来たときにはすでに幕が開いて演技が始っていた。——舞台では黒い背景の前に四人の男が立ち、その中央に大きな長方形の箱を置いて、主役女優のブルスカヤ嬢がにこにこしながら、

「コノトオリ種モ仕掛モアリマセン、ケレドコノ箱ハ不思議ナ力ヲ持ッテイマス。コレカラソレヲ実験イタシマスカラ、ドウゾ皆様ノ中カラドナタカ一人舞台ヘオ上リクダサイ」

と云った。——そう云われても何をされるのかわからないし、誰にしてもこの大勢の観客の前へ出て行く勇気はちょっとあるまい。

「私ノ座員デハ面白味《おもしろみ》ガ足リマセン、ドウカドナタデモヨロシイ、オ客様ノ中カラ一人オ出《い》デクダサイ」

ブルスカヤ嬢が繰返したとき、不意に、——ジュリやが席を起《た》った。

「あ、ジュリや」

「お嬢さま、——」

ジュリやは振返って、「大丈夫ですわ。私もと曲馬団にいたとき、これと同じ奇術をしたことがあるんですの。だから行って種を見破って驚かしてやりますわ」

そういうと、なおも引止めようとする八千代の声を後に、羞《は》じらいもせず舞台へ上って行った。――わあっと割れるような拍手、ブルスカヤ嬢は愛想よく迎えてジュリやを舞台の中央へ導き、

「コノ美シイオ嬢サマガ、私ノ望《のぞみ》ヲ叶《かな》エテクダサイマシタ。厚クオ礼ヲ申シマス。――サテコノオ嬢サマニ、コノ箱ノ中へ入ッテイタダキマス」

「――しっかりやれ」

三階で客の叫ぶ声がした。――人々はどんな珍しい奇術が始るかと、息を殺して、見守っている。ブルスカヤ嬢は軽い音楽に合わせて、ジュリやを例の箱の中へ入れた。

箱は黒く塗ったもので、大きさはちょうど人が一人立って入れるほどである。下に四本の脚があって、舞台の床とは離れている。――つまり大きな人形箱と思えば間違いはない。ブルスカヤ嬢はその中へジュリやを入れ、もう一度箱の四方を検《あらた》めてから正面の蓋《ふた》を閉めた。ジュリやの姿は箱の中に閉籠《とじこ》められたのである。

「――サテ皆様、御覧ノトオリタダイマノオ嬢サマハコノ箱ノ中へ入リマシタ。不思議ナ箱ハドンナ魔力ヲ現シマショウカ、――ハイ！」

そういうとともに、ブルスカヤ嬢は一歩さがって突然拳銃《ピストル》を射《う》った。それまで一度も拳銃は使わなかったので、不意を食った観客はぎくりとする、——刹那《せつな》、ブルスカヤ嬢はさっと箱の蓋を取払った。

「おお……」

観客は眼を瞠《みは》った。箱の中にはジュリやの姿はなく、美しいひと籠《かご》の薔薇《ばら》の花が、色もあざやかに咲いている。——どっとあがる拍手のどよめきに、ブルスカヤ嬢はにこにこと会釈《えしやく》を返しながら、

「——不思議ノ箱ハオ嬢サマヲ薔薇ノ花ニ変エマシタ。デモコノママデハオ家《うち》へオ帰リニナレマセン。今度ハ元ノオ嬢サマニ戻シテ御覧ニイレマス」

そう云って手早く箱へ蓋をする。四人の助手の男がその介添をしてすぐ退ると、——嬢はふたたび拳銃を一発。

「——ハイッ」

と、云って蓋をあけた。

ジュリやが現れたか？　いや！　そこには、薔薇の花もなく、ジュリやの姿もない。箱の中は空である。——三千人の観客は思わず、おや……と呟《つぶや》いて身を乗出した。意外な失敗である。ブルスカヤ嬢はちょっとまごついたが、素早くもう一度蓋をして、

「ハイッ、オ嬢サマドウゾ」

そう云って、三度めの拳銃、そして蓋を明けたが、依然として箱は空であった。

——八千代はおそろしい予感に襲われて、

「孝平さん、ジュリやが、ジュリやが」

と絶叫しながら椅子《いす》から起つ、——同時に舞台の上では、

「幕！　早く幕を引けッ」

と喚《わめ》く声がして、この失敗を隠すためにあわただしく幕が閉められた。観客は湧《わ》きたった。拍手する者、怒号する者、足を踏鳴らす者、口笛を吹く者、——三千の観衆は一時に、狂ったように非難の声をあげた。

五

「ジュリやが攫《さら》われた、ジュリやが」

八千代は胸も潰《つぶ》れる思いで叫んだ。——あの頬《ほお》に疵《きず》のある曲馬団の男が、この奇術師たちと共謀してジュリやを攫ったに違いない。

「孝平さん助けて、ジュリやを助けて」

「大丈夫です、僕が引受けました」

孝平さんは憤然と起上るや、八千代の手を曳《ひ》いて大股《おおまた》に舞台へ上った。——とそのとき、二人の後から走って来て、

「やっちゃん、どうしたんだ」

と、声をかける者があった。振返って見ると意外にも従兄の沢木順吉である。

「まあお従兄《にい》さま」

八千代はとびついた。

「よく来てくだすったわ。いま大変なことが起ったのよ」

「知ってるよ、僕も偶然観に来ていたんだ。ジュリやが舞台へ上ったので驚いたんだが、なに大したことはないだろう」

「いいえ、いいえ、大変なことがあるのよ、——今まで誰にも云わなかったけれど、じつはジュリやはある悪者に狙《ねら》われていたんです」

八千代はそう云って、手短かにジュリやの身の上を話した。——沢木順吉はそれを聞くや、かつての夜のことも思い出されて、これは普通の失敗ではないぞと直感した。

「どうぞお願い、曲馬団の男に攫われたに違いないんですから、早くジュリやを助けてやって!」

「——そうか」

順吉は頷いて、「とにかくすぐに検《しら》べてみよう。こっちは僕と孝平君がやるから、やっちゃんは表の休憩室で待っておいで」

「本当にきっと助けてね」

「大丈夫、すぐに片をつけてゆくよ」

そう言って沢木順吉は、孝平さんとともに幕をくぐって舞台へ乗りこんで行った。

――お従兄さまが来れば大丈夫だわ。八千代はそう思ったので、云われたとおり表の休憩室で待つことにした。

沢木順吉と孝平さんが入って行ったとき、舞台ではブルスカヤ嬢はじめ全座員が、例の箱を中心に顔色を変えて騒いでいた。――順吉はつかつかと側《そば》へ行って、

「いったいどうしたのですか」

と、声をかけた。

「あの少女は我々の知人ですが、どうしたというわけですか」

「下手なことをするとためにならんぞ」

孝平さんも側から喚きたてた。――ブルスカヤ嬢はおろおろと手を揉絞《もみしぼ》りながら、

「オオ、私タチニモワケガワカリマセン、オ嬢サンハ消エテシマッタノデス、コノ箱ノ中カラ煙ノヨウニ消エテシマッタノデス」

「よく事情を話してください」

「コノ奇術ハ簡単デス、御覧クダサイ」

そう云って嬢はしどろもどろに奇術の説明をした。――それはきわめて単純な技巧《トリック》で、人を入れた箱は、四人の助手が集る刹那、舞台の穴から下へ抜けて、代りに花の入った箱がせり上る、ただこれを素早くやるだけが技術で、どこにも怪しむべきところはなかった。

「そうすると、ジュリやの入った箱は、花とすり代るとき舞台の下へぬけるのですね」

「ソウデス」

「では舞台の下を見せてください」

ブルスカヤ嬢を先に、みんなは舞台下へと降りて行った。――そこは電燈の光も暗い陰気な場所で、今しも大勢の人夫たちが、奇術に用いる大道具をせっせと荷造しては、片端から外へ運び出しているところだった。

「この荷物はどうするのですか」

「……今日デココハ打止デスカラ、済ンダ道具カラ順ニ、次ノ興行地へ送ルタメ、東京駅へ運バセテイルノデス」

「ああ、それだ、畜生」

座員の説明を聞くなり、孝平さんは拳《こぶし》を振上げて喚いた。

「――これでわかった、こいつらはジュリやの箱が舞台下へぬけたとき、あの娘を攫って大道具の中へ押籠め、送り出す荷物と一緒に東京駅へ運んだに違いない。沢木さん、僕はすぐ東京駅へ行って荷物を押さえて来ます」

「まあ待ちたまえ」

と、沢木順吉の止める暇もなく、孝平さんは尻尾《しっぽ》に火のついた獅子《ライオン》のように、跳《おど》り上ってはせ去った。――それとほとんど入れ違いに、休憩室から八千代が駈《か》けつけてきた。

「お従兄さま大変だわ」

「え、どうしたの」

「私お父さまから大事な御用を頼まれていたのよ。三年町の渡辺中将へ書類を届けるようにって……」

「それでどうしたのさ」

「私その書類を手嚢《ハンドバッグ》へ入れて持っていたんだけど、お化粧室へ立つときちょっとジュリやに預けたの。そしてそのまま返してもらうのを忘れてしまったのよ」

「じゃあその書類は――？」

「ジュリやが持っているはずだわ」

不意に沢木順吉の顔色が紙のように白くなった。彼は両手で頭を摑《つか》むと、どっかり側にあった椅子へ腰をおとし、低く呻き声をあげながらなにごとか考えをまとめようと焦《あせ》りだした。――しかしそれはそう長い時間ではなかった。ややしばらく頭を掻挘《かきむし》っていたと思うと、

「そうだ、それに相違ない！」

と、叫んで起上り「やっちゃん、すぐに家へ帰るんだ。早くしないと大変なことになる」

「でもジュリやは、――？」

「それはあとでわかる、早く！」

というと、八千代を引摺《ひきず》るようにして劇場をとび出し、自動車を拾って青山の金沢家へ全速力で走らせた。――大変なことになるとはなんであろう。肝心のジュリやをほうっておいて何のために家へ帰るのか？　八千代にはまるで見当がつかなかった。

やがて車が屋敷の門前へ着くと、

「すぐ戻ってくるから待っておいで」

と、八千代を自動車の中に待たせておいて、沢木順吉は家へとびこんでいった。八千代は心も空に待っていた。――ジュリやはどうなるか、たいせつな父の書類は？

「――ああどうしよう」

と、身悶《みもだえ》をしながら呟く。――およそ二十分もたった時分、順吉は戻って来た。顔色はますます蒼《あお》い。身を投げこむように車へ乗ると、

「横浜へ、全速力だ！」

と叫んだ。

六

走った走った。自動車は交通係の眼を避けながら疾風のように走って、三十分足らずのうちに横浜へ入った。――沢木順吉はそれまで石のように黙っていたが、

「波止場の二号岸壁へ着けてくれ」

と命ずる。――自動車はいうがままに海岸通りへ入ると、巧みに税関を突破して、黄昏《たそがれ》の迫る二号岸壁へすべりこみ、上屋《うわや》の角で危く急停車をした。……沢木青年は窓から身を乗出すようにして前方をすかし見ていたが、

「や、しめた、間に合ったぞ！」

云いざま車をとび出し、

「やっちゃん、車から出るんじゃないぜ!!」

と、叫びながら駈けだして行った。

なにごとが起るのだろう。――八千代は半身を乗出して見た。従兄の順吉が走って行く前方に、四五人の人影が見える。その人たちは岸壁に着いている外国の貨物船へ乗るところらしい。

「――あァッ」

八千代は思わず叫びをあげた。見よ、――追いついた順吉は、今しも船橋《ブリッヂ》へ登ろうとしている人影へ、猛然と襲いかかったのだ。

「お従兄さま、危いッ」

八千代は我を忘れて車からとび出した。

なんというすばらしさ、不意を衝《つ》かれて、一瞬人影が入乱れたと思うと、見るまに二人、三人――順吉の鉄拳《てっけん》を食ってばたばたと倒れた。その隙に船へ逃げこもうとするやつ、順吉がつぶてのごとく追いすがると、相手は敵《かな》わぬと見たか、いきなり振りざま拳銃を取出して、
ぐわん!

と射った。

「ああ――ッ！」

八千代が絶望の叫びをあげた。しかしその刹那！　不意に小さな人影が現れ、順吉の面前へ盾のように大手を広げて立塞《たちふさ》がった。拳銃からほとばしり出た火花は、その人影の真正面で引裂けた。じつに間髪をいれぬできごとである。なかば夢中で、八千代が自動車の運転手とともに駈けつけたときには、順吉はすでに四名の怪漢を打倒し、自分の盾になって弾丸に倒れた一人を抱き起しているところだった。

「――お従兄さま！」

駈寄った八千代が叫ぶと、順吉は振返って悲しげに眼をうるませ、

「やっちゃんか、――さあ見ておやり」

と、抱いていた人を示した。

「おまえの、おまえのジュリやだよ」

「ええ!?」

八千代は仰天しながら覗《のぞ》きこんだ、従兄の手に抱かれているのは、まさしく八千代の愛するジュリやであった。

「まあ、まあ、――ジュリや」

「お嬢さま……」

ジュリやは苦しげに云った。「——お赦《ゆる》しくださいませ、ジュリやは悪い人間でした。でも今は後悔しています。後悔して、……」

そこまで云ってジュリやは、がくりと順吉の腕の中で気絶した。


これで事件は終ったのよ啓子さん。

ジュリやは攫われたんじゃなかったの。自分で劇場から逃出したんだわ。なぜってそれは、緑色の封筒に入ったお父様の書類が欲しかったからよ。

ジュリやはかわいそうな娘よ。悪者の手先に使われてお父さまの『D……電波』の秘密を盗み出すために家へ来たんですって、でも家で暮すうち悪事が恐しくなってよそうと決心したの。けれど悪者たちはお父さまや私を殺すと云って脅かすのでしかたなくあんなことをしてしまったのだというわ。

曲馬団にいたことは本当だし、そのためにうまく奇術を利用して逃げたのだけれど、あの脅迫状は嘘《うそ》だったの。嘘というよりあれはじつは暗号通信だったのよ。お従兄さまが調べてみたら、最後の脅迫状には「横浜港二号岸壁、午後七時までに来《き》たれ」と暗号で書いてあったんですって、それで危く駈けつけたわけね。むろん書類は無事だったわ。

私がお父さまのお使いで、渡辺中将の家へ届けた書類は、みんな『D……電波』の機密図だったの。それを悪者たちが感付いてジュリやに狙わせたのね。でももう悪人たちは捉《つかま》ったし、これですっかり安心よ。――ジュリやの傷は幸いと軽く、二週間もすれば起きられるでしょう。お従兄さまの身代りになったことで、じゅうぶん罪の償いはついているし、本当に悪かったと後悔しているんですもの、今までどおり私の仲よしでおくつもりよ。お父さまも許してくだすったし、ジュリやは泣いて感謝したわ。

面白かったのは孝平さんで、あの豪傑は東京駅へ駈けつけると貨物室で奇術の大道具をひっ掻廻《かきまわ》しながら、三時間も虎《とら》のように喚きちらしていたんですって。ほほほほ、今度いらしったら云ってごらんなさい、あの豪傑きっと降参するわよ。――ではこれで失礼。


（「少女倶楽部」増刊号昭和十二年六月）

解説

木村久邇典《きむらくにのり》

本書には、昭和十年（一九三五）六月から昭和十七年（一九四二）七月に至る短編十一本が収められている。すなわち作者三十二歳から三十九歳にかけての作物群《さくぶつ》である。

山本周五郎が職業作家として文壇に明確な旗印をかかげたのは、昭和七年（一九三二）五月号「キング」に発表した『だだら団兵衛』からで、これが山本にとって最初の大人向け娯楽読物雑誌への第一作であった。

大正十五年（一九二六）四月号「文藝春秋」に現代小説『須磨寺附近』をもって登場したころの山本（二十三歳）は、少年時代から純文学と劇作を志向する文学青年であったが、ひきつづき「演劇新潮」「舞台評論」などの有力演劇雑誌に野心作を発表したにかかわらず、筆一本で身を立てる域には達しきれずに、わずかに博文館の少女雑誌に投ずる少女・少年小説、童話などから得る稿料や、〝終生の恩人〟山本洒落斎《しゃらくさい》の庇護《ひご》によって口を糊《のり》する生活であったらしい。

山本が小説を以《も》って、社会人として独りだちしようと決心したのは、昭和五年（一九三〇）の暮れ、前夫人（昭和二十年死去）と結婚して以後のことであったろう。翌六年（一九三一）一月に山本は、今井達夫と松沢太平のすすめにより、多くの芸術家が屯《たむろ》していた東京郊外の荏原《えばら》郡馬込《まごめ》村（馬込文士村、のちには空想部落とも別称された）へ移転し、尾崎士郎、鈴木彦次郎、北園克衛らを知ったのだが、尾崎や鈴木の推輓《すいばん》で、大衆娯楽雑誌「キング」を発表舞台に加えることができたのであった。

さらに昭和八年（一九三三）、今井達夫と慶応義塾の同窓だった朝日新聞記者宮田新八郎を知り、彼の編集する「アサヒグラフ」に前衛手法を駆使した斬新《ざんしん》な現代物短編小説を、昭和十一年（一九三六）八月まで、十二編も執筆している。

山本周五郎が、一般にその存在を認められたのは、昭和十七年六月号「婦人倶楽部」から読切連載のかたちで執筆を開始した『日本婦道記』シリーズが、翌十八年に、第十七回直木賞に擬されて以後（もっとも賞は作者が固辞）のこと、とするのが通説のようである。わたくしも異議を立てる者ではない。

したがって本集は、すべてが山本が直木賞候補となって文壇に指定席を与えられる以前の作品であり、主なる発表誌の発行元は、博文館、講談社、朝日新聞社であって、「アサヒグラフ」を除いては、強い娯楽性を雑誌社側から要請された時代の産物であった——ということを念頭において味読いただきたいのである。

この期間の山本作品には、概して講談調の勝った語り口や、意外性をサービスしてストーリーの転換を企図した〝筋立て〟を主とする小説が多いことが指摘される。表現技術も生硬で、総体的に〝型〟に嵌《はま》ったもの、と評するムキがある。わたくしもまた、その傾向を一概に否定するものではない。

だが——、とわたくしは読者に訴えたいのである。山本の作物は稚拙な試行の堆積《たいせき》ののちに、昭和十五年（一九四〇）の『宗七しぐれ傘《がさ》』『立春なみだ橋』『土佐太平記』『城中の霜』『松風の門』『鍬《くわ》とり剣法』『内蔵允《くらのすけ》留守』あたりから、瞠目《どうもく》すべき進境を示しはじめる。そしてそれらの飛躍の土台は、昭和十年前後に「アサヒグラフ」で試みた現代小説での冒険や数編の意欲作で、すでに着々として築かれつつあった、と思うのだ。

本集所載の作品は、まさにその期間に描かれたのであった。

『彦四郎実記』は昭和十一年七月号「キング」に発表された小説。

藩侯の実弟で、乱暴無頼の主計介《かずえのすけ》の真の器量を見抜いた監物《けんもつ》彦四郎が、彼の真心で主計介を立ち直らせる物語である。士は士を知るというテーマが清々《すがすが》しい。剣撃場面もあしらわれ、富商播磨屋《はりまや》宇兵衛の娘お雪の存在も色模様として明るい光を添えている。しかし筋立てがいかにも御注文どおりで底が浅く、文章も生硬の域を脱していない。ここから這《は》い上がらなければならなかった作者の苦衷を憶《おも》うのである。『浪人一代男』は昭和十一年九月号「講談雑誌」に執筆した小説で、かなりの意欲作ではある。

わたくしがこの作品を初めて読んだのは昭和二十七年の夏。旅先きの山口県宇部市の旅館の床の間に、ほうり出されたように置かれていたアンコール雑誌に掲載されていたのを、たまたま目にとめたことからであった。

帰京して山本にその件を話すと、テレかくしに手を大きく左右に振りながら、山本はいった。

「あんなものを読んじゃいかん。あれはある意味では、ぼくが始めて書いた時代ものの大衆娯楽小説だ。とんだものが見つかっちまったな」

まことにお家騒動あり、剣あり、片思いあり、悲恋ありのお誂《あつら》え向きの通俗小説といっていい。山本はこれに先立つ昭和九年に、小幡《おばた》藩事件を背景にした長編『明和絵暦』を発表しているが、ここでは同事件にまつわる枝葉を思い切りよく苅《か》り取り、藩主の娘不二緒《ふじお》に寄せる津村三九馬《みくま》の〝悲恋の物語〟として再構成したのである。おそらく大衆小説としては体裁よく首尾をととのえることができた、とする作者の自負もあったのだろう、昭和十七年一月に今日の問題社から本編を収めた短編集を刊行したとき、この作品名を標題としている。だが、エンターテインメントの奉仕に重点が置かれすぎた傾きは否定できない。山本の試行が光明にたどりつくのはまだ先きのことであった。

『牡丹花譜《ぼたんかふ》』は昭和十三年三月号の「婦人倶楽部」に執筆した作品。青年男女の恋のかけ違いを主題にした悲恋小説で、通俗小説の域を出ていない。ただ伊達《だて》騒動以後の伊達綱村《つなむら》を登場させ、なお綱村の命をねらう者として原田甲斐《かい》の残党がチラリと扱われているのが面白《おもしろ》い。戦後の作者畢生《ひっせい》の代表作となった『樅《もみ》ノ木は残った』に結実されるまで、どのような反芻《はんすう》が山本の内部でこころみられたかを窺《うかが》わせる興味ぶかい作品だ。

『酔いどれ次郎八』は昭和十三年八月号「富士」に掲載された作品。親友に許婚《いいなずけ》を、余儀ない事情のために奪われるという結果になった次郎八が、故意に酔いどれになって世間の悪評を自分に集め、親友夫妻に向けられた誤解を好意的なものに変えてやる友情の物語である。己れを無にして他人《ひと》を立てる奉仕の精神がさわやかな共感を呼ぶ。この種の作品でもっとも困難なのは、〈余儀ない事情〉が十分に読者を納得させるように書き込まれていなければならないことなのだが、作者は慎重に用意した伏線によって、この難問をみごとに突破している。

　この作物あたりから、ようやく山本のうちなる資質が外部にも発現してきたといえようか。

『武道仮名暦《かなごよみ》』は昭和十四年十一月号「富士」に発表された短編。南部藩と津軽藩の長年の確執を背景に描いた作者には珍しい小説だ。南部藩史にのこる〈有名な天保三年の同心組騒動〉とあるが、事態は戸来《へらい》伝八郎の適切な処置でこと無きを得たわけである。

〈罪人の首を斬《き》って武術鍛練が出来るなら、牢《ろう》役人は達人に成りましょう、武道は人を斬るための修練ではない筈《はず》です〉

　と伯父の玄蕃《げんば》に進言して、藩公が同心組に出した罪人斬首《ざんしゅ》の命令を取り止《や》めさせるところが本編のヤマ場で、伝八郎の気忙《きぜ》わしい性格や愛すべき個性が生き生きと描かれている。玄蕃の娘と結婚した伝八郎が、物語の末尾で「出産です。出産です」と埃《ほこり》を立てて駆けだしてゆくシーンは、まことに巧みだ。

『烏《からす》』は昭和十五年二月号「少女の友」に執筆した小説である。少女小説として描かれたものだが、『鼓《つづみ》くらべ』（昭和十六年一月号「少女の友」）と同様、普通の小説としても十分に通る普遍性をもっている。追手《おって》におわれ助けを求めて逃げ込んできた勤王の少年を納戸《なんど》にかくまった直後、家探しにきた追手の連中が、立ち去ろうとする寸前に「もう行きましたか」と少年が言ってしまい、追手がふり返ったとき、鳥の勘太が少年の声を真似《まね》て「もう行ったか」を繰返して危機をのがれる——という意外性のサービスは秀逸である。賞金に目のくらんだ父親の銃丸に撃たれて身代わりになるお文《ぶん》。数年後、廃屋になってしまった少女の家を、中尉になった少年が訪れてきたとき、墓の横手に一羽の鳥が墓守のように身を竦《すく》めていた……、という悲恋物語めいたストーリーは、やや型どおりの難点がなくもない。だが短編ながら物語作者としての才能は容易に窺い知ることができる。

『与茂七《よもしち》の帰藩』は昭和十五年五月号の「講談倶楽部」に執筆した作品。

〈道場のまん中に立って、傲然《ごうぜん》と肩を怒らしている、その心驕《おご》ったさま、我こそはという増上慢、……それはそのまま与茂七の姿なんだ、二十八年のあいだ己は、そっくりそのままの恰好《かっこう》でのし廻《まわ》っていたんだ。……なんという滑稽《こっけい》な、道化《おどけ》た姿だ、生唾《なまつば》の湧《わ》く気障《きざ》っぽさだ。……己は恥しくなった、そして逃げだした。自分では遂《つい》に分らず、貴公の上に自分の愚かな恰好を見出《みいだ》して初めて……己は眼が覚めたのだ〉

与茂七の三郎兵衛に語るこの述懐が、本編のテーマである。剣道を修行する過程で、自己を深めてゆく与茂七の人生開眼《かいげん》が、三郎兵衛の増上慢を改心させ、また二人を真の友情で結ぶ。〈これで彦根から野牛と虎《とら》がいなくなるなあ〉という与茂七の独白が、読後感をいっそうひきしめることに成功している。

『あらくれ武道』は昭和十六年八月号「講談雑誌」に発表した短編である。宗近《むねちか》新兵衛は近江《おうみ》の浅井長政の家臣。異様な大鼻の持ち主で二十人力の豪勇を謳《うた》われている。長政の妻お市の方は織田信長の妹で、絶世の美人の名が高く、長政との堅い夫婦愛は世間の誰《だれ》もが羨《うらや》むほどであった。お市の方の侍女浪江は、お市が浅井に輿入《こしい》れするとき尾張《おわり》からつき従って来たのだが、浪江に一目《ひとめ》惚《ぼ》れした新兵衛は、主人の許しを得て強引に同棲《どうせい》生活に入る。しかし浪江は新兵衛になびかない。

織田と浅井が不和になったため、浪江がお市に随伴して織田方へ引き揚げたのは天正元年のこと。そのころ浪江の心はすでに新兵衛のものであった。新兵衛は戦陣で悪鬼のごとくに闘い、わざと捕えられて信長の面前に出、思い切り罵《ば》倒《とう》の言葉を吐いて斬られて死ぬ。

十年後、虎御《とらご》前山《ぜんやま》の古戦場を訪れた浪江は信長の最期《さいご》のさまを報告して菩《ぼ》提《だい》を弔う。

作者はこの物語を、

〈ふき来《きた》りふき去る風に、秋の千草はさやさやと鳴っていた。湖の水は紺碧《こんぺき》に澄み、遠い比良《ひら》の山なみはすでに冬の色が濃かった〉

と結んでいる。

戦争の悲劇性、男と女のめぐりあいのかなしさを抒情《じよじよう》み豊かに刻みあげた佳作である。

『江戸の土圭師《とけいし》』は昭和十七年七月号「譚海《たんかい》」に掲載された作品。山本周五郎にはおのれの職業に高い矜持《きようじ》をもつ名人気質《かたぎ》を描いた芸術小説とも称すべき作品がすくなくない。いま思いつくだけでも『羅刹《らせつ》』『宗七しぐれ傘』『おたふく物語』『扇野』『おれの女房』『ちゃん』『落葉の隣り』『虚空《こくう》遍歴』『さぶ』『あとのない仮名』などがあげられる。山本周五郎がこのジャンルの作品に、かなりの情熱を燃やしたのは、彼自身が己れの名人気質をふかく自負していたことを証《あか》しするものと、わたくしは受け止めている。

したがって自信過剰にも落ち入りがちな自意識を、つねに反省する努力を怠らなかった一面を、この『江戸の土圭師』からも読みとることができ、すなわち本編のサワリを成している。

浅草奥山で、南京《ナンキン》人の短剣投げの見世物をみた時計師の三次郎は、親方にこう懺悔《ざんげ》する。

〈剣を投げる男の眼をみてびっくりしました、真剣な眼つきでした、（略）親方、あたしはその眼を見てはっとしました。自分が仕事をするとき、ああいう眼をしただろうか、あれほど真剣な、一分《ぶ》のすきもない眼をしていたろうか〉

また借金を催促に来た米屋の言葉は、職人がけっして特殊な人間でないことを衝《つ》いた辛辣《しんらつ》な社会批評である。

〈都合のつくまでは米もお届け申しますよ、だがねえ親方、おまえさんが時計師ならあたしは米屋だ、時計作りは精根をけずるが米屋はちょろっかに出来るというわけのものじゃあない、職となればなに職だって骨が折れる、みんな精根をうちこんでやってるんだ。（略）おまえさんのように自分ひとりが偉そうに、そうぽんぽん云うことはありませんぜ〉

小説の普遍妥当性は、こんなところから産みだされてゆくのであろう。

女房のお兼が三次郎に愛想をつかして家を出てゆくあたり、書き込みが不足して説得性がすこし足りないものの、まるく元の鞘《さや》に収まるゆくたてはめでたい。文章にも格段の磨《みが》きがかかり、題材の面白さといい、上質の娯楽小説である。

『風格』は昭和十年六月十九日号「アサヒグラフ」に執筆した現代もの短編小説である。

立派な風格をもっている松室《まつむろ》君は、そのために、知人たちからつねに「別者」扱いにされつづける。若くして長者の風をそなえ、詩人としても世に認められるのに十分な才能をもちながら、風格が自《みずか》らの才能を喰《く》って旦那《だんな》芸《げい》になってしまう。どんな傑作を書いても誰ひとり反対するものもなく承認されて、そしてそれだけになってしまう。つねに風格の枠《わく》から脱《ぬ》け出せない、いわば一種の性格悲劇が描かれている。女に恋を打ち明けられても直ちに応ずることもできず、五年後に彼女から京都行きを誘われ、彼女のために薄紫のパジャマまで用意して同行するのだが、着いた先のホテルには、彼女の結婚相手の青年が（もちろん女としめし合わせて）待っている。松室君はダシに使われたわけだ。が、へたな振舞をみせて取り乱したところをみせたくない彼は、そのパジャマを贈って道化者にならずにすんだことを悦《よろこ》ぶのである。

〈しかしそれはそれとして松室君が深い憂鬱《ゆううつ》に襲われはじめたのは事実である。そしてその原因が彼自身の動かしがたき風格にかかわっていたことはいうまでもない〉

と作者はしめくくる。まことにやりきれぬ小説の結構だが、それだけに特殊な性格が浮き彫りにされていてみごとな筆の冴《さ》えを感じさせる。本書に収録した時代小説は、すべて『風格』以後に発表された作品であるが、『彦四郎実記』『浪人一代男』『牡丹花譜』より、〝人間〟の表出にまさっているものと思う。

『人間紛失』は昭和十二年六月「少女倶楽部」増刊号に掲載された探偵《たんてい》小説である。

国策に沿ったスパイ小説というより、あきらかにストーリーのトリックに重きを置いた作品だ。読者層の年齢を意識しすぎたためか、昭和七年の『猿耳《えんじ》』、八年の『出来ていた青』に比して、出来がよいとはいえないようである。

（平成二年六月、文芸評論家）

「彦四郎実記」は実業之日本社刊『山本周五郎滑稽小説集』（昭和五十年一月）、「浪人一代男」は同『山本周五郎真情小説集』（昭和五十七年八月）、「牡丹花譜」は同『山本周五郎婦道小説集』（昭和五十二年九月）、「酔いどれ次郎八」は同『山本周五郎感動小説集』（昭和五十年六月）、「武道仮名暦」「あらくれ武道」は同『山本周五郎武道小説集』（昭和四十八年一月）、「烏」「与茂七の帰藩」は同『山本周五郎修道小説集』（昭和四十七年十月）、「江戸の土圭師」は文化出版局刊『山本周五郎婦道物語選下』（昭和四十七年十二月）、「風格」「人間紛失」は実業之日本社刊『山本周五郎現代小説集』（昭和五十三年九月）にそれぞれ収められた。

表記について

新潮文庫の文字表記については、原文を尊重するという見地に立ち、次のように方針を定めました。

一、旧仮名づかいで書かれた口語文の作品は、新仮名づかいに改める。
二、文語文の作品は旧仮名づかいのままとする。
三、旧字体で書かれているものは、原則として新字体に改める。
四、難読と思われる語には振仮名をつける。

なお本作品集中には、今日の観点からみると差別的表現ととられかねない箇所が散見しますが、著者自身に差別的意図はなく、作品自体のもつ文学性ならびに芸術性、また著者がすでに故人である等の事情に鑑み、原文どおりとしました。

（新潮文庫編集部）

新潮文庫編
文豪ナビ 山本周五郎
乾いた心もしっとり。涙と笑いのツボ押し名人――現代の感性で文豪作品に新たな光を当てた、驚きと発見がいっぱいの読書ガイド。

山本周五郎著
赤ひげ診療譚
貧しい者への深き愛情から〝赤ひげ〟と慕われる、小石川養生所の新出去定。見習医師との魂のふれあいを描く医療小説の最高傑作。

山本周五郎著
青べか物語
うらぶれた漁師町・浦粕に住み着いた私はボロ舟「青べか」を買わされた――。狡猾だが世話好きの愛すべき人々を描く自伝的小説。

山本周五郎著
五瓣の椿
連続する不審死。胸には銀の釵が打ち込まれ、傍らには赤い椿の花びら。おしのの復讐は完遂するのか。ミステリー仕立ての傑作長編。

山本周五郎著
柳橋物語・むかしも今も
幼い恋を信じた女を襲う悲運「柳橋物語」。愚直な男が摑んだ幸せ「むかしも今も」。男女それぞれの一途な愛の行方を描く傑作二編。

山本周五郎著
大《おお》炊《いの》介《すけ》始末
自分の出生の秘密を知った大炊介が、狂態を装って父に憎まれようとする姿を描く「大炊介始末」のほか、「よじょう」等、全10編を収録。

山本周五郎著
日本婦道記
厳しい武家の定めの中で、愛する人のために生き抜いた女性たちの清々しいまでの強靭さと、凜然たる美しさや哀しさが溢れる31編。

山本周五郎著
日日平安
橋本左内の最期を描いた「城中の霜」、武士のまごころを描く「水戸梅譜」、お家騒動をユーモラスにとらえた「日日平安」など、全11編。

山本周五郎著
さぶ
職人仲間のさぶと栄二。濡れ衣を着せられ捨鉢になる栄二を、さぶは忍耐強く支える。友情を通じて人間のあるべき姿を描く時代長編。

山本周五郎著
虚空遍歴（上・下）
侍の身分を捨て、芸道を究めるために一生を賭けて悔いることのなかった中藤冲也――苛酷な運命を生きる真の芸術家の姿を描き出す。

山本周五郎著
季節のない街
生きてゆけるだけ、まだ仕合わせさ――。貧民街で日々の暮らしに追われる住人たちの15の悲喜を描いた、人生派・山本周五郎の傑作。

山本周五郎著
おさん
純真な心を持ちながら男から男へわたらずにはいられないおさん――可愛いおんなであるがゆえの宿命の哀しさを描く表題作など10編。

山本周五郎著

おごそかな渇き

〝現代の聖書〟として世に問うべき構想を練った絶筆「おごそかな渇き」など、人生の真実を求めてさすらう庶民の哀歓を謳った10編。

山本周五郎著

ながい坂（上・下）

人生は、長い坂。重い荷を背負い、一歩一歩、確かめながら上るのみ——。一人の男の孤独で厳しい半生を描く、周五郎文学の到達点。

山本周五郎著

つゆのひぬま

娼家に働く女の一途なまごころに、虐げられた不信の心が打負かされる姿を感動的に描いた人間讃歌「つゆのひぬま」等9編を収める。

山本周五郎著

ひとごろし

藩一番の臆病者といわれた若侍が、奇想天外な方法で果した上意討ち！　他に〝無償の奉仕〟を描く「裏の木戸はあいている」等9編。

山本周五郎著

栄花物語

非難と悪罵を浴びながら、頑ななまでに意志を貫いて政治改革に取り組んだ老中田沼意次父子を、時代の先覚者として描いた歴史長編。

山本周五郎著

松風の門

幼い頃、剣術の仕合で誤って幼君の右眼を失明させてしまった家臣の峻烈な生きざまを描いた「松風の門」。ほかに「釣忍」など12編。

深川安楽亭

山本周五郎著

抜け荷の拠点、深川安楽亭に屯する無頼者たちが、恋人の身請金を盗み出した奉公人に示す命がけの善意――表題作など12編を収録。

ちいさこべ

山本周五郎著

江戸の大火ですべてを失いながら、みなしご達の面倒まで引き受けて再建に奮闘する大工の若棟梁の心意気を描いた表題作など4編。

山彦乙女

山本周五郎著

徳川の天下に武田家再興を図るみどう一族と武田家の遺産の謎にとりつかれた江戸の若侍。著者の郷里が舞台の、怪奇幻想の大ロマン。

あとのない仮名

山本周五郎著

江戸で五指に入る植木職でありながら、妻とのささいな感情の行き違いから、遊蕩にふける男の内面を描いた表題作など全8編収録。

四日のあやめ

山本周五郎著

武家の法度である喧嘩の助太刀のたのみを、夫にとりつがなかった妻の行為をめぐり、夫婦の絆とは何かを問いかける表題作など9編。

町奉行日記

山本周五郎著

一度も奉行所に出仕せずに、奇抜な方法で難事件を解決してゆく町奉行の活躍を描く表題作ほか、「寒橋」など傑作短編10編を収録する。

一人ならじ
山本周五郎著

合戦の最中、敵が壊そうとする橋を、自分の足を丸太代りに支えて片足を失った武士を描く表題作等、無名の武士の心ばえを捉えた14編。

人情裏長屋
山本周五郎著

居酒屋で、いつも黙って飲んでいる一人の浪人の胸のすく活躍と人情味あふれる子育ての物語「人情裏長屋」など、〝長屋もの〟11編。

花杖記
山本周五郎著

父を殿中で殺され、家禄削減を申し渡された加乗与四郎が、事件の真相をあばくまでの記録「花杖記」など、武家社会を描き出す傑作集。

扇野
山本周五郎著

なにげない会話や、ふとした独白のなかに男女のふれあいの機微と、人生の深い意味を伝える〝愛情もの〟の秀作9編を選りすぐった。

寝ぼけ署長
山本周五郎著

署でも官舎でもぐうぐう寝てばかりの〝寝ぼけ署長〟こと五道三省が人情味あふれる方法で難事件を解決する。周五郎唯一の警察小説。

あんちゃん
山本周五郎著

妹に対して道ならぬ感情を持った兄の苦悶とその思いがけない結末を通して、人間関係の不思議さを凝視した表題作など8編を収める。

山本周五郎著

彦左衛門外記

身分違いを理由に大名の姫から絶縁された旗本が、失意の内に市井に隠棲した大伯父を天下の御意見番に仕立て上げる奇想天外の物語。

山本周五郎著

やぶからし

幸せな家庭や子供を捨ててまで、勘当された放蕩者の前夫にはしる女心のひだの裏側を抉った表題作ほか、「ばちあたり」など全12編。

山本周五郎著

花も刀も

剣ひと筋に励みながら努力が空回りし、ついには意味もなく人を斬るまでの、平手幹太郎（造酒）の失意の青春を描く表題作など8編。

山本周五郎著

楽天旅日記

お家騒動の渦中に投げ込まれた世間知らずの若殿の眼を通し、現実政治に振りまわされる人間たちの愚かさとはかなさを諷刺した長編。

山本周五郎著

雨の山吹

子供のある家来と出奔し小さな幸福にすがって生きる妹と、それを斬りに遠国まで追った兄との静かな出会い――。表題作など10編。

山本周五郎著

月の松山

あと百日の命と宣告された武士が、己れを醜く装って師の家の安泰と愛人の幸福をはかろうとする苦渋の心情を描いた表題作など10編。

山本周五郎著

花匂う

幼なじみが嫁ぐ相手には隠し子がいる。それを教えようとして初めて直弥は彼女を愛する自分の心を知る。奇縁を語る表題作など11編。

山本周五郎著

風流太平記

江戸後期、ひそかにイスパニアから武器を密輸して幕府転覆をはかる紀州徳川家。この大陰謀に立ち向かう花田三兄弟の剣と恋の物語。

山本周五郎著

艶書

七重は出三郎の袂に艶書を入れるが、誰からか気付かれないまま他家へ嫁してゆく。廻り道してしか実らぬ恋を描く表題作など11編。

山本周五郎著

菊月夜

江戸詰めの間に許婚の一族が追放されるという運命にあった男が、事件の真相を探り許婚と劇的に再会するまでを描く表題作など10編。

山本周五郎著

朝顔草紙

顔も見知らぬ許婚同士が、十数年の愛情をつらぬき藩の奸物を討って結ばれるまでを描いた表題作ほか、「違う平八郎」など全12編収録。

山本周五郎著

夜明けの辻

藩の内紛にまきこまれた二人の青年武士の、友情の破綻と和解までを描いた表題作や、〝こっけい物〟の佳品「嫁取り二代記」など11編。

山本周五郎著

周五郎少年文庫
臆病一番首
―時代小説集―

合戦が終わるまで怯えて身を隠している「違う方の」本多平八郎の奮起を描く表題作等、少年向け時代小説に新発見2編を加えた21編。

山本周五郎著

生きている源八

どんな激戦に臨んでもいつも生きて還ってくる兵庫源八郎。その細心にして豪胆な戦いぶりに作者の信念が託された表題作など12編。

山本周五郎著

人情武士道

昔、縁談の申し込みを断られた女から夫の仕官の世話を頼まれた武士がとる思いがけない行動を描いた表題作など、初期の傑作12編。

山本周五郎著

風雲海南記

西条藩主の家系でありながら双子の弟に生まれたため幼くして寺に預けられた英三郎が、御家騒動を陰で操る巨悪と戦う。幻の大作。

山本周五郎著

与之助の花

ふとした不始末からごろつき侍にゆすられる身となった与之助の哀しい心の様を描いた表題作ほか、「奇縁無双」など全13編を収録。

山本周五郎著

泣き言はいわない

ひたすら〝人間の真実〟を追い求めた孤高の作家、周五郎ならではの、重みと暗示をたたえた言葉455。生きる勇気を与えてくれる名言集。

山本周五郎著

ならぬ堪忍

生命を賭けるに値する真の〝堪忍〟とは——。「ならぬ堪忍」他「宗近新八郎」「鏡」など、著者の人生観が滲み出る戦前の短編全13作。

山本周五郎著

天地静大（上・下）

変革の激浪の中に生き、死んでいった小藩の若者たち——幕末を背景に、人間の弱さ、空しさ、学問の厳しさなどを追求する雄大な長編。

山本周五郎著

樅ノ木は残った

毎日出版文化賞受賞（上・中・下）

仙台藩主・伊達綱宗の逼塞。藩士四名の暗殺と幕府の罠——。伊達騒動で暗躍した原田甲斐の人間味溢れる肖像を描き出した歴史長編。

山本周五郎著

正雪記（上・下）

染屋職人の伜から、〝侍になる〟野望を抱いて出奔した正雪の胸に去来する権力への怒り。超大な江戸幕府に挑戦した巨人の壮絶な生涯。

新潮文庫編

文豪ナビ　池波正太郎

剣客・鬼平・梅安はじめ傑作小説を多数手がけ、豊かな名エッセイも残した池波正太郎。人生の達人たる作家の魅力を完全ガイド！

池波正太郎著

忍者丹波大介

関ケ原の合戦で徳川方が勝利し時代の波の中で失われていく忍者の世界の信義……一匹狼となり暗躍する丹波大介の凄絶な死闘を描く。

池波正太郎著

男（おとこ）振

主君の嗣子に奇病を侮蔑された源太郎は乱暴を働くが、別人の小太郎として生きることを許される。数奇な運命をユーモラスに描く。

池波正太郎著

闇の狩人（上・下）

記憶喪失の若侍が、仕掛人となって江戸の闇夜に暗躍する。魑魅魍魎とび交う江戸暗黒街に名もない人々の生きざまを描く時代長編。

池波正太郎著

上意討ち

殿様の尻拭いのため敵討ちを命じられ、何度も相手に出会いながら斬ることができない武士の姿を描いた表題作など、十一人の人生。

池波正太郎著

雲霧仁左衛門（前・後）

神出鬼没、変幻自在の怪盗・雲霧。政争渦巻く八代将軍・吉宗の時代、狙いをつけた金蔵をめざして、西へ東へ盗賊一味の影が走る。

池波正太郎著

食卓の情景

鮨をにぎるあるじの眼の輝き、どんどん焼屋に弟子入りしようとした少年時代の想い出など、食べ物に託して人生観を語るエッセイ。

池波正太郎著

闇は知っている

金で殺しを請け負う男が情にほだされて失敗した時、その頭に残忍な悪魔が棲みつく。江戸の暗黒街にうごめく男たちの凄絶な世界。

酔《よ》いどれ次《じ》郎《ろ》八《はち》

新潮文庫　や-2-55

平成二年七月二十五日　発行
平成二十二年四月十日　二十九刷改版
令和三年六月五日　三十一刷

著者　山《やま》本《もと》周《しゅう》五《ご》郎《ろう》

発行者　佐藤隆信
発行所　株式会社　新潮社
郵便番号　一六二—八七一一
東京都新宿区矢来町七一
電話　編集部(〇三)三二六六—五四四〇
読者係(〇三)三二六六—五一一一
http://www.shinchosha.co.jp
価格はカバーに表示してあります。

印刷・錦明印刷株式会社　製本・錦明印刷株式会社
1990　Printed in Japan

ISBN978-4-10-113456-7　C0193